« J'apprends à me tenir debout… »
Extrait de la chanson Tenir debout
de Fred Pellerin

Pour mes parents,
mes enfants et ma famille
qui me permettent de marcher
dans mes plus vrais souliers.

Et à tous ceux qui me tiennent
la main, chaque jour, et qui m'aident
à avancer sur mon chemin en guidant
mes pas et mes détours…
Toujours droit devant !

Merci.

Tu es un ou une *fan* des romans de
la série Les secrets du divan rose et
tu veux connaître EN PREMIER quand
paraîtra la suite des aventures ?

Alors, inscris-
toi à la

au WWW.boomerangjeunesse.com

et sélectionne

dans

Web fan

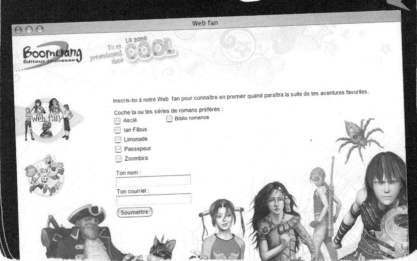

Dans l'auto

Mes yeux n'en finissent plus de pleurer. Une, deux, trois, quatre, cinq, six, sept, huit. Huit larmes se sont écrasées sur mon bras et ont rejoint les milliers d'autres que j'ai versées depuis une semaine.

J'ai tellement pleuré que j'ai le dessous des yeux tout usé, tout fripé comme une grand-mère. C'est tellement irrité. Des larmes, ça doit être vraiment salé ou elles contiennent quelque chose qui « gruge » ma peau. Bref, je pleure encore et ça me fait ultra mal sous l'œil. Mais pas autant que dans mon cœur.

Le front accoté sur la vitre froide de l'auto climatisée, je regarde la vie que je laisse derrière. Ma vie, ma ville, ma rue, ma maison, ma chambre. Mon école, mes amies, mon Théo, mon cœur, moi finalement. Pas mon divan rose ! Non, quand même ! Je n'aurais pas survécu ! Lui, les déménageurs l'ont attaché sur le toit de l'auto ce matin. On dirait un rôti tout enrubanné. Il fait pitié. Une chance qu'il ne pleut pas. Ce matin, de gros nuages remplissaient le ciel. Je m'en fous qu'il fasse soleil ou pas ; c'est tellement noir au dedans de moi. Mais je ne voulais pas qu'il pleuve. Mon divan aurait été détrempé en arrivant à Saint-Gilles-de-Beaurivage. Parce que oui, je déménage là-bas. À Saint-Gilles-de-Beaurivage Bref. De mon ancienne chambre (parce qu'elle est vendue notre maison... bye bye !) à ma future nouvelle chambre, il y a exactement 864 kilomètres ! 864 ! Plus que huit heures de route ! Huit heures ! Une éternité, quoi ! Sérieux, c'est plus long qu'une journée d'école ! J'aurais le temps d'écouter au moins quatre films en boucle ! C'est épouvantable de déménager dans le plus creux d'un village perdu dans une région plus qu'éloignée. C'est Loin. Pas juste loin : Loin. Majuscule. Loin. Loin. Loin. Le bout du monde aurait été plus proche ou presque. Du moins, ça aurait été plus exotique que ce petit village perdu qui compte... 3679 habitants à l'année ! J'ai vérifié ! Un peu plus et le nombre de kilomètres aurait été plus grand que le nombre de résidants ! Faut le faire !

« On n'a pas le choix ! Ça fait quatre mois que je ne travaille pas. On n'aura plus un sou, Fred ! C'est un contrat merveilleux pour moi. Avec l'ouverture de ce grand théâtre dans ce petit village, on va faire revivre la culture dans un coin qui en manque depuis trop longtemps. C'est LA chance de ma vie ; je ne peux pas passer à côté... » que m'a dit ma mère. Bravo ! LA chance de SA vie. LA malchance de la mienne. Quand j'y repense, mon corps se crispe. Je deviens tendue comme... comme un élastique prêt à éclater ! Ou une balloune trop gonflée ! Je sais bien que de ne pas travailler n'est pas plus génial. Ça, c'est ma tête qui le dit. Mon cœur, lui, il s'en fout tellement. Il ne sait pas comment va le compte en banque, ne pense pas au travail ou aux factures… J'ai tellement de la misère à me raisonner…

« Tu vas apprendre de cette expérience ! Ça va peut-être être plus cool que tu le penses… » Ben oui ! Qu'est-ce qui sera amusant ? Une nouvelle chambre… wouhouuuuu ! Elle est minuscule, j'imagine ! Une nouvelle école ? Je n'en veux pas ! Un village ? Euhhh, j'aime les villes et les rues grouillantes ! La nature ? J'aime la ville, que je viens de dire !

« T'es quand même chanceuse, la maison ne sera pas très loin de l'école secondaire. Tu n'auras même pas à prendre l'autobus ! C'est rare encore une école secondaire dans un si petit endroit. Tu ne trouves pas que c'est un bon point ?

Hein, ma Frédou ? » Ma mère essaie de m'amadouer à coup de Frédou et de mots doux, de phrases d'encouragement et de positivisme exagéré. La Frédou est trop fâchée pour voir des bons points. La Frédou voit noir. Noir. Noir. La Frédou est surtout ultra fâchée. Un déménagement, un exil presque, ce n'est pas une bonne nouvelle. Même si cela veut dire « nouvelle déco » ! Parce que déménagement veut surtout dire… laisser ma vie derrière. Bye bye Rosalie, Emma et Zoé ! Bye bye Théo ! Bye bye ma vie ! J'ai tellement pleuré. D'abord, la journée de la première annonce de ma mère qui m'a dit qu'« il se pouvait que "peut-être", ce n'était vraiment pas sûr, qu'elle obtiendrait un contrat dans une autre ville ». Bon ! J'avais bien vu qu'elle multipliait les suppositions et que sa décision était pas mal prise. C'était juste une tentative d'atténuer mon choc. Erreur. Le choc a été multiplié. Je n'en ai pas eu qu'un seul gros. Mais plein de gros… À l'annonce. Quand j'ai fait le ménage de ma chambre. Quand j'ai mis ma vie dans des boîtes. Quand j'ai annoncé la nouvelle aux filles. Quand j'ai dû prendre ma décision au sujet de Théo. Quand on s'est parlés lui et moi. Quand le camion de déménagement s'est garé. On aurait dit que j'électrocutais mon cœur. Il est sonné, complètement. Et épuisé. Je dois bien achever mes réserves de larmes. Sérieux, pleurer autant… il doit bien y avoir une fin. Un genre d'« épuisement des stocks ». Je vais être à court de larmes. *Back order*! Mais ce n'est pas encore rendu là, on dirait, car je pleure toujours en regardant par la fenêtre de l'auto. Mentalement, je dis au revoir à tout cela. On est en août et je frissonne. Pourtant, c'est crevant dehors. Humide. Lourd. Moi, je grelotte. Mon cœur a la chair de poule. Et pourtant, les larmes me brûlent les joues. Je ne reviendrai pas. Je pars. Je vide les lieux. Je laisse derrière moi. Je tourne une page. En fait… je la déchire en mille miettes. Autant l'écrabouiller comme il faut, ainsi je vais peut-être finir par l'oublier. Peut-être. Ma vie est une forêt de peut-être. Surplombée d'un ciel noir plein d'orages.

Bon, j'ai dû m'endormir un peu. Je me suis réveillée en sursaut quand ma mère a dû arrêter pour laisser passer un train sur la route. C'est dire comme on est rendues loin. J'ai un peu de bave au coin des lèvres. À moins que ce ne soit encore des larmes… J'ai un pli et le motif d'un bouton de ma chemise creusé dans la joue, je le sens. J'ai dormi la tête dans le creux de mon coude.

Tout autour de nous, il y a des champs, et tout au fond, des arbres. Wow! Mon nouvel environnement. Ça me déprime. Mais un soleil explose dans le ciel bleu éclatant.

— Tu vois, il fait beau tout à coup, Frédou! Ça doit être un présage, tu ne crois pas? C'est bon signe!

Ma mère essaie de faire la conversation. Je me mords les lèvres pour ne pas lui répondre. J'ai envie de lui parler ou plutôt de faire exploser ma colère. Mais j'ai aussi envie de faire cesser notre petite guerre. Elle sait que je ne vois pas d'un bon œil notre déménagement et elle s'efforce de me rendre l'idée acceptable. Je vois tous ses efforts. Et moi, j'essaie de me borner à ne pas l'écouter. Je ne veux pas lui montrer que PEUT-ÊTRE elle a raison et que ce ne sera pas si pire. Non, je veux lui faire payer le prix de sa décision par ma mauvaise humeur, mon silence, mes larmes et mes répliques méchantes.

Mais être fâchée ainsi, ce n'est pas facile. Il y a une infime partie en moi, minuscule, microscopique, qui aurait envie de trouver l'expérience trippante. C'est vrai, au fond, peut-être que ça pourrait être cool de ne se retrouver que nous deux dans un univers inconnu... Peut-être que je découvrirai quelque chose sur moi et sur ma vie. Peut-être que j'aurai une révélation, là-bas... Mais, cette idée, je la refoule. En fait, non, je ne la refoule pas, elle se fait happer par des vagues de souvenirs, des images catastrophiques de ma nouvelle vie, comme l'arrivée dans ma nouvelle école (sûrement un épisode traumatisant dans mon existence... je serai l'extraterrestre!), les flashbacks incessants de mon ancienne vie et tout ce que je vais manquer du quotidien avec Rosie, Emma et Zoé parce que je vais être à 864 kilomètres d'elles! Alors, cette mince idée un tantinet positive se fait démolir par ce flot de pensées difficiles. Je ne peux juste pas être contente, ça ne se peut pas! Ce qui fait que je me renfrogne dans ma mauvaise humeur… J'en veux à l'univers entier. Et à ma mère en particulier.

Toute ma vie a changé en moins d'une semaine. Pour vrai ! Entre l'annonce de sa décision finale et notre départ, il y a eu exactement 10 jours. Là-dessus, j'en ai passé deux complets à la maison, à ne vouloir voir personne. Puis, j'ai appelé mes amies, une à une. Et après, je me suis attaquée au plus compliqué : Théo. Une chance qu'il était encore à son chalet pendant mes journées de houle émotionnelle ; ça m'a donné du temps pour réfléchir.

À cause du nouveau boulot de ma mère — elle va ouvrir un théâtre et préparer une pièce et une grande exposition et s'occuper de la direction artistique de la chose… ! — j'ai dû prendre la décision la plus difficile de toute ma vie. J'ai cassé avec Théo alors que je l'aimais encore. Je l'aimais tellement. En fait, j'ai essayé de me convaincre que c'est parce que je l'aimais que je prenais cette décision. Sérieux, un amour ne peut pas survivre à 864 kilomètres ! Même avec des échanges sur MSN, des courriels, des soirées de caméra Web, quelques appels téléphoniques (pas trop, car ça coûte cher !) et une visite à tous les quatre mois. Mon cœur aurait besoin d'un respirateur artificiel pour survivre à cela ! Une poche d'oxygène en permanence à côté de lui ! Une piqûre pour le stimuler ! Parce que SI on avait continué à sortir ensemble, ce qui aurait lié nos deux cœurs entre les 864 kilomètres de distance, cela aurait voulu dire de passer toutes nos soirées cloîtrés dans notre chambre à se jaser sans vraiment se voir, à s'écouter sans se toucher, à se confier sans bouger. Franchement, c'était impossible ! Infaisable, ou presque !

On aurait enfermé nos cœurs dans la technologie, on se serait coupés du reste du monde pour essayer de maintenir en vie artificiellement un amour voué à l'échec.

Ça, c'est ma tête qui me disait tout cela... Elle essayait de me raisonner ! Pas facile ! Ma tête et Rosalie avec qui j'ai parlé une nuit entière au téléphone, en vidant une boîte de mouchoirs au complet. Elle, elle était censée m'aider à prendre la « bonne » décision (en fait, on devrait dire « la moins pire », car je ne la trouve pas bonne du tout !), mais elle doit avoir utilisé deux fois plus de mouchoirs que moi. Elle trouvait cela « tellll-lllemennnnnt dramatique », « tellllllllement épouvantable » et en même temps « terr-rrrrriiiiiblement romantique ». Mais bon, quand elle a arrêté de jouer à la *drama queen* et de voir ma vie comme le prochain film romantico-dramatique qui récolterait tous les succès et les honneurs au grand écran (elle devrait devenir romancière ou faire des films, elle serait ex-cel-len-te !), elle a fini par m'aider à y voir un peu plus clair. Malgré toutes les larmes devant nos yeux. Elle a réussi à me faire voir que ce n'était pas une vie d'aimer à distance, d'aimer sans le voir et d'aimer sans les regards spontanés (Théo était tellement bon là-dedans... bouhouuu !!). Sérieux, ça n'aurait pas eu de sens de faire semblant que ça marcherait comme avant si on ne se voyait plus. Mais j'avais besoin que quelqu'un d'autre me dise la même chose que moi, j'avais besoin de l'entendre de la bouche d'une amie (pas de ma mère !) pour m'aider à croire que j'avais pris la bonne décision. Aussi, je voulais prendre MA décision et l'annoncer à Théo. Je ne voulais pas qu'il essaie de trouver une solution. Ce serait bien assez dur comme cela, sans commencer à mélanger nos émotions, nos désirs et nos peines. C'est fou comment je veux faire à ma tête, mais que j'ai besoin de « valider » mes idées avec d'autres. Les confronter. Voir si elles ont du sens. On dirait que ça m'aide à y croire. Bref… à la fin de notre nuit de placotage, à Rosie et à moi, c'était décidé. Je cassais avec Théo. Et j'allais devoir le lui annoncer.

J'ai l'air détaché ? Pas du tout, pourtant. Je suis plutôt résignée. J'ai continué à pleurer longtemps après avoir raccroché avec Rosalie (il devait être 4 h du matin quand on a finalement déclaré qu'on allait essayer de dormir un peu !). Je ne sais même pas si j'ai dormi un peu. Pleurer fait perdre quelques notions, on dirait ! En tout cas, si j'ai roupillé, c'était qu'un peu. Car le résultat de ma nuit sur la corde à linge m'a sauté aux yeux quand je me suis regardée dans le miroir. Le dessous de mes yeux n'est pas martyrisé que par mes larmes, mais aussi parce que de gros cernes bleutés y sont accrochés.

Quand je dois faire quelque chose, surtout un truc qui ne me tente pas, je dois m'en débarrasser au plus vite. Autrement, on dirait que ça me brûle par en dedans. Pas capable de le transporter en moi en faisant semblant que tout est comme avant. Je dois le jeter hors de moi. C'est ce que j'ai fait avec ma décision. J'ai appelé Théo et lui ai donné rendez-vous au parc.

— Tu ne voudrais pas plutôt qu'on aille au cinéma, ce soir?

Hum! Une invitation! Il me compliquait la tâche.

Non, que je lui ai simplement répondu. Il a insisté.

— Bien, viens chez nous d'abord! Il fait trop chaud dehors.

Il ne pouvait pas se douter de la douche froide que je lui réservais.

— Non. Faut que je te parle. Dehors. Tout de suite. Là. Là.

Il a compris et est venu me rejoindre au parc. Voilà comment a commencé la pire journée de ma vie.

Dire à quelqu'un qu'on aime qu'on le laisse parce qu'on part, c'est presque inhumain de faire cela. Dans les films, on dirait « Tu lui redonnes sa liberté ! » et gnan gnan gnan… En plus, on ajoute toujours une musique méga dramatique, genre violon qui braille, un soleil qui se change en pluie soudaine et beaucoup beaucoup de larmes. Un beau mélange ultra triste ! Et les spectateurs trouvent la scène romantique, si touchante et tellement poignante.

Pff ! Dans la vraie vie, ce n'est pas comme cela. Pas du tout même. J'ai plutôt eu l'impression d'avoir dit à Théo : « Excuse-moi, ce ne sera pas long ! Je me suis écrabouillé le cœur hier et là, je m'apprête à t'arracher le tien. Sans anesthésie. À froid. Comme cela ! Mais t'inquiète pas, ce ne sera pas long ! Je te le jure ! » Le tout sans musique et sans violon. Dans un silence tranchant, plutôt.

J'ai rejoint Théo au parc. Habituellement, c'est toujours moi qui l'attends, mais là, il y était avant moi. J'avais pris mon temps. Je n'avais aucune envie de poireauter là à l'attendre. J'aurais eu trop le temps de penser et j'aurais peut-être voulu changer d'idée (en fait, je VEUX changer d'idée. Mon cœur le veut vraiment beaucoup, mais ma tête est trop forte… 1-0 pour ma caboche !). Avant de partir arracher le cœur à Théo et anéantir complètement le mien, j'ai ramassé quelques trucs qu'il avait laissés chez moi. Trois DVD, un CD, deux chandails… euh un chandail ! L'autre, je l'ai gardé… Il est présentement dans une des boîtes au-dessus de ma tête dans l'auto. Je me suis sauvée avec un bout de Théo… Bref, j'ai mis le tout dans un sac et suis partie le rejoindre au parc avec quelques minutes de retard.

Quand je l'ai vu au loin, j'ai pensé un instant me retourner, courir à la maison, faire un gros *rewind* sur ma vie et effacer cette mauvaise journée. Mais je ne pouvais pas. Alors, j'ai avancé le plus tranquillement possible. Quand il s'est approché de moi, sûrement pour me donner un baiser (je ne le saurai jamais, car ce n'est pas arrivé), je me suis reculé et lui ai fait signe de ne pas parler.

— Faut que je te parle. C'est archi important. Mais je ne veux pas rester au parc. Viens, suis-moi. On va marcher.

En marchant, il me semble que c'est plus facile. Ou juste moins difficile, finalement. Autrement, en restant sur place, j'aurais eu peur de m'enfoncer dans le sol et de ne plus pouvoir bouger ensuite. Comme si le sol m'avait gardée prisonnière. Malgré tout, j'ai besoin de marcher, d'être dans l'action, autrement je vais vraiment, mais vraiment craquer. Et je ne veux pas une scène mélodramatique avec sanglots et tout. Je veux juste « casser »...

C'est donc en marchant et en continuant à marcher toujours, toujours que j'ai réussi à tout raconter à Théo. Les mois de non-travail pour ma mère. Ce contrat fabuleux. La décision de partir. Les 864 kilomètres qui essouffleraient notre amour. La décision de le laisser. Ma peine. La sienne.

Il a été sonné. Ma nouvelle a eu le même effet qu'une méga mise en échec illégale au hockey.

— Je ne pensais vraiment pas que tu venais m'annoncer cela. Je suis parti que deux semaines et on dirait que je remets les pieds dans une vie complètement différente. Tout a changé...

Il a voulu prendre ma main en me disant cela. J'ai fait comme si je n'avais rien vu de sa tentative. Pourtant, j'ai senti le frottement de sa peau sur le revers de ma main. J'ai continué à balancer mes bras au rythme de mes pas.

On a dû faire trois fois le tour du bloc qui entoure le parc. Sans se dire un mot, on a évité de reprendre le chemin qui mène vers nos maisons. Comme si on voulait que cette marche ne finisse jamais. Comme si tant que nous étions en mouvement, nous étions ensemble. Quand on arrêterait, ce serait la fin... la vraie fin.

— Frédérique... je ne t'oublierai jamais. Tu vas peut-être revenir l'année prochaine. On pourrait reprendre. Peut-être qu'on va juste s'aimer encore plus. Tu sais, on peut s'écrire quand même. S'appeler de temps en temps?

Attention! Je suis trop nounoune. J'ai dit « non ». Je ne voulais pas qu'on s'oblige à s'appeler ou à s'écrire. Vivre dans l'attente d'un signe de sa part, c'est pire que de vivre complètement sans lui.

Nos cœurs ne vivraient que par soubre-sauts. Et ça ne nous mènerait à rien. Même en s'écrivant chaque jour, ça ne rapetisserait pas la distance entre nous. Même avec des coucous sur MSN chaque jour, 864 kilomètres ça reste toujours 864 kilomètres.

Il a bien fallu se séparer. Après au moins deux tours du bloc sans rien dire, j'ai brisé la glace.

— Faut que je rentre. J'ai plein de boîtes à faire, tu comprends ? À un de ces jours Théo… peut-être !

C'est assez plate comme « finale » à notre histoire. Je lui ai remis le sac rempli de ses trucs et j'ai simplement changé de côté de rue pour aller rejoindre la mienne. Je n'ai pas crié en pleine rue un tonitruant « adieuuuuu ». Rosalie aurait bien voulu que je le fasse ! Je suis partie comme cela. Je n'ai même pas arrêté de marcher. Il ne fallait pas… Continuer à marcher, ça m'aidait à garder mon cœur en vie. Un peu. En marchant, je ne tombais pas.

Je suis tombée quand même. Sur mon divan rose tout de suite en arrivant après ma « marche ». Mes mollets me brûlaient. Mon gros orteil était dans un état qui frôlait le dédoublement (oooh ! c'était une giga ampoule !!). Ultra boursouflé tant ma sandale avait frotté contre lui. Mes cheveux étaient tout gommés par la chaleur, l'humidité et la sueur qui a dû dégouliner de mon front. Mais le pire, c'était mon cœur. Jamais, je ne l'avais senti aussi en furie. Il pompait et cognait frénétiquement dans ma poitrine. Étendue sur le divan, je me suis endormie. Quand je me suis réveillée… je ne sentais plus rien. Ni mes mollets douloureux. Ni mon orteil meurtri. Ni même mon cœur. On aurait dit qu'il était mort.

Oh! bien sûr, il battait. Mais il était vide tout en étant lourd à la fois. Un cœur pesant à réanimer. Un cœur de pierre trop lourd à porter, mais que je devais traîner quand même. Car je ne peux pas m'en départir. Même si je le brise en morceaux.

— Il reste environ deux heures de route, Frédou. Tu veux qu'on arrête manger quelque chose ou faire une pause pipi?

J'ai fait signe que « non » avec ma tête. On s'était déjà arrêtées deux fois pour mettre de l'essence et faire provision de cochonneries. J'ai un peu faim, mais ça ne me tente pas d'arrêter. Vaut mieux rouler et en finir — donc arriver — au plus vite. Rouler, c'est finalement comme marcher. Quand on bouge pas, ça me fait peur. J'ai alors l'impression de cesser de vivre. De mettre ma vie sur pause.

Et puis, je n'ai pas envie de pipi non plus. Sérieux, je pense que j'évacue par mes larmes ! C'est pour dire !

Deux heures. Il me reste deux heures avant d'arriver dans mon nouveau chez-moi. Faut que je me fasse à l'idée (ça va être dur !). Quand on arrivera, quand l'auto arrêtera au bout du chemin, ce sera chez moi. Le mot sonne croche. Je pourrais l'appeler « l'ailleurs ». Parce que ça ne ressemblera pas du tout à la définition que j'avais de chez moi. Comme si je consultais la définition du chat dans le dictionnaire, mais qu'au lieu d'y trouver « petit félin », je lisais la définition de la souris... Complètement à l'opposé de ce que j'ai en tête... Bizarre. Trop bizarre. Faut que j'arrête de réfléchir un peu...

Deux heures. C'est le temps qu'on avait réussi à se trouver les filles et moi pour notre soirée d'adieu. Un minuscule deux heures. Mon déménagement n'était pas prévu dans l'horaire de notre été. On a réussi à se voir les quatre ensemble malgré les départs ou les retours de vacances, les soirées de gardiennage et tous nos trucs habituels. On n'avait drôlement pas prévu être obligées de se voir « d'urgence ». En juin, on avait même mis une pause à nos pizzadredis, car on n'était jamais capables d'être là les quatre à la fois. Souvent, je me retrouvais seule avec Rosalie, les deux autres ayant des vacances ou un chalet où passer du temps avec leur famille. Nous, on était confinées à notre maison. Avoir su, j'en aurais profité plus de ma maison avant de devoir la déserter…

Finalement, hier soir, on s'est vues toutes les quatre. Rosalie a eu une bonne idée pour rendre ce petit deux heures bien spécial quand même. Elle est arrivée avec un gros sac sous la main. Au premier coup d'œil, j'étais un peu déçue qu'elle trimballe ses nouveaux vernis à ongles et une nouvelle mallette de maquillage pour notre dernière soirée pour au moins trois mois (ma mère a PROMIS qu'on reviendrait d'ici Noël...). Puis, j'ai vu dans ses yeux que ce n'était pas sa trousse à maquillage qu'elle avait sous le bras, mais sa trousse de secours pour ma peine. Je l'aime donc ma Rosalie! Oh! J'aime Emma et Zoé aussi, mais Rosie c'est... plus spécial! Depuis le début de l'été, on s'était rapprochées encore plus! Et là, j'ai eu la preuve qu'elle fait des choses que j'aurais faites moi aussi pour elle. C'est important pour moi, cela! Précieux. Ultra précieux.

Bref, quand elle a ouvert son sac, même si ce n'était pas du vernis, je n'ai pas compris immédiatement... Des perles? Quatre gros contenants à café remplis. On avait vraiment le temps de bricoler des colliers ? Elle voulait lancer une ligne de bijoux ? On testait une idée qui allait la rendre riche ?

Non ! Ce qu'elle voulait, c'est qu'on se fasse chacune un collier. Et plus que cela, chacune allait choisir une perle pour les autres et devrait expliquer les raisons de son choix. On a fouillé dans les contenants à café emplis de perles de toutes les couleurs. J'ai choisi une blanche pour Rosalie (parce qu'elle a besoin de calme et de nouveau dans sa vie. Blanc, ça sonne « page blanche » donc tout est possible !), une rouge éclatant pour Zoé (parce que le rouge, c'est intense… comme elle !) et une turquoise pour Emma (parce qu'elle lui rappellera l'eau et la plage, là où elle partait, justement !). Moi ? Super original ! Les trois ont choisi des perles… roses ! Mais les raisons étaient différentes. Zoé : pour me rappeler le divan. Emma : pour que je vois la vie en rose. Et Rosalie : pour me rappeler que je suis une rose... quand je ne sors pas mes épines. Elle a réussi à me faire rire ! Et dans ce petit rire relâché, c'est comme si je m'étais libérée d'un poids qui m'écrasait. Pendant un peu moins de deux heures, j'ai oublié mes soucis, mon déménagement, mes larmes, ma peine, ma colère, Théo. On s'est juré de toujours porter le collier. Toujours. Même sous la douche. Même en dormant. Zoé a promis de le garder sur elle même au karaté même si elle doit le glisser dans ses culottes ! On lui a quand même fait une permission spéciale pour lui éviter cela ! Quand est venu le moment pour les filles de partir, mon cœur s'est fait écraser à nouveau... par la réalité ! J'avais oublié pendant un certain temps, mais la vie nous rattrape. C'était la dernière fois pour un bout que je serrais mes amies dans mes bras. La dernière fois jusqu'à Noël (j'aime mieux voir cela plus loin, ainsi je ne serai pas déçue !) que nos regards se croisaient pour vrai… La dernière fois… J'ai quand même réussi à ne pas trop pleurer. « Pas trop » pour moi ces temps-ci c'est déjà le triple de ce que je pleure d'habitude… Rosie m'a mis un de ses gros contenants bien remplis dans les mains et m'a dit :

— Tiens, ça va peut-être te servir dans ton trou perdu ! On ne sait jamais ! Au moins, ça pourra occuper tes soirées à moins que tu ne deviennes une adepte de la pêche à la truite ou de la chasse à l'orignal !

Je sais qu'elle blaguait pour détendre l'atmosphère. Ça m'a au moins permis de ne pas noyer mes amies dans mes larmes ! Toutefois, quand j'ai fermé la porte derrière elles, c'est là que je me suis sentie le plus seule au monde. Plus de chum ! Plus d'amies ! Oh ! bien sûr, je n'ai pas « cassé » avec elles ! Mais quand même… Notre amitié va être secouée.

Et le fil qui nous unit reste délicat. J'ai frotté mon arrangement de perles un peu. Ces pierres-là vont être usées avant longtemps !

J'ai déposé le pot à perles dans mon sac à dos et je suis allée me rouler en boule sur mon divan, les doigts touchant mon collier. Mon porte-bonheur. Le fil qui me relit à elles.

— Frédou, tu voudrais arrêter de bouder ? On n'est pas pour ne plus se parler jamais parce que j'ai accepté cet emploi. Je comprends, enfin, je pense que je peux comprendre ce que tu ressens, mais secoue-toi un peu. Il y a des choses pires dans la vie, crois-moi…

Vraiment, je ne sais pas ce qui pourrait m'arriver de pire. Bon, je dis cela et je ne me crois pas. Y'a plein de trucs « pires » qui pourraient arriver. Être malade, mourir, que mes amies meurent, qu'un tremblement de terre ou une tornade survienne, que ma mère disparaisse... mais je trouve que j'ai quand même goûté à une partie d'un certain « pire ».

Je fais un « hum hum » pas tellement convaincant en continuant de fixer le soleil qui amorce sa descente vers l'horizon. Je croise les bras sur ma poitrine. Je garde ma peine et ma colère pour moi. C'est à moi. C'est à peu près tout ce qui me reste. Je les garde. Je n'ai pas envie d'être contente. Pas envie de sourire. Pas envie de me secouer. À cette seconde précise de ma vie (et de la vie en général, tant qu'à faire !), je suis la fille la plus malheureuse au monde. Booon ! Personne n'est habitué à Fred marabout, mais me voilà...

Le problème, c'est que même moi je ne suis pas habituée à me voir avec l'esprit si noir et torturé.

Première nuit

Il est exactement 3 h 12 du matin et j'ai les deux yeux grands ouverts. Je n'arrive pas à dormir. Pas vraiment surprenant après tant d'émotions. Je repense à mon arrivée dans ma nouvelle maison. Ce n'était pas exactement comme je l'avais prévu.

Finalement, dans l'auto tantôt, ma mère a réussi à me faire sortir de ma torpeur… en se perdant ! Rassurant comme première fois dans notre nouveau village et ses environs ! On s'est retrouvées au bout d'une route. Oui, oui ! On a pris un embranchement, croyant que c'était la route qui menait à notre village. Au début, je n'aidais pas du tout ma mère. Tant pis ! Qu'elle se débrouille !

Mais là, je commençais à avoir drôlement envie de pipi et la perspective d'aller m'accroupir sur le bord de la chaussée ne m'intéressait pas. Alors, valait mieux trouver notre maison une fois pour toutes! Et ma mère était assez drôle aussi! Elle essayait de conduire, replaçait ses lunettes de soleil sur les yeux, changeait pour ses lunettes de lecture afin d'examiner la carte, se mélangeait, bref, j'ai éclaté de rire malgré moi. Ça a permis de laisser évacuer un trop-plein d'émotions refoulées. J'ai dégonflé comme une balloune dont on laisse échapper un peu d'air, car on l'avait trop remplie au départ. Ouf! Ça a fait du bien quand même! Je me suis emparée de la carte routière et des indications imprimées d'Internet et en moins de 10 minutes, on a trouvé notre nouvelle rue. Euh rang! Non… chemin. On habite maintenant sur le « chemin du Petit Bouleau ». Ça fait petit en titi, mais bon!

Au moins, j'ai aussi pu aller dégonfler ma vessie prête à exploser !

Ensuite, une fois vidée... on dirait que la mauvaise humeur a repris possession de moi. J'ai réalisé, les deux fesses sur le bol de toilette, que j'étais dans ma nouvelle demeure. Je suis tellement entrée en coup de vent dans la maison que je n'ai même pas pris le temps de regarder ce dont elle avait l'air...

C'est... c'est... joli ! Pas beau, mais pas laid non plus. Ça ne ressemble en rien à notre ancienne maison. En fait, on dirait presque un chalet. Tout est en bois. Il n'y pas de division au rez-de-chaussée. Le salon touche à la cuisine qui touche à la petite salle à manger qui rejoint la salle de bain (là, il y a une porte quand même !). Et sur le derrière de la maison, dans le salon, il y a d'immenses fenêtres qui donnent sur la rivière et le bois. Et il y a l'escalier en plein milieu de tout cela qui mène au deuxième étage.

Ma chambre sera dans les hauteurs ici, car il n'y a même pas de sous-sol. J'ai choisi la chambre avec la vue sur la forêt au lieu de voir le chemin du Petit Bouleau. Il y aura peut-être plus d'action dans le bois que sur la route déserte… qui sait ?

Je mourais de faim. Surtout qu'on a transporté toutes les boîtes dans les bonnes pièces. J'ai exigé que les déménageurs grimpent tout de suite mon divan rose. Pas question qu'il reste sur le toit de la voiture pour la nuit.

On aurait voulu commander une pizza, mais — attention ! — il n'y a aucun restaurant qui livre dans le coin. Charmant ! Sérieux ! C'est trop déprimant. On est donc parties à 20 h 30 pour trouver une épicerie. Je n'ai pas laissé ma mère sortir toute seule, des plans pour que je ne la revoie plus jamais !

Finalement, à 22 h, on avait mangé et pris notre douche, toutes les deux complètement crevées. Je crois qu'on a battu le record du plus petit nombre de mots échangés en une soirée. Puisqu'elle ne voulait pas brancher l'ordinateur tout de suite, ma mère m'a quand même donné la permission d'appeler Rosalie pour lui dire que j'étais arrivée. Le premier problème ? Notre ligne n'était pas encore fonctionnelle. Le deuxième ? Le cellulaire de ma mère ne captait pas les ondes dans notre trou perdu. B.r.a.v.o ! Sérieux, j'étais tellement découragée. La plus malheureuse du monde encore. J'ai donc simplement frotté plus fort les trois perles de mon collier. J'avais envie de pleurer à nouveau, pourtant aucune larme n'est sortie. Avais-je épuisé mes réserves ? J'étais à sec ?

Quand est venu le temps de me mettre au lit, j'ai trouvé une pile de couvertures et mon oreiller sur mon divan rose avec un petit bout de papier plié dessus.

« Là où tombent les larmes, les fleurs finissent par pousser… »

Ma mère. C'est sûr que c'est elle. J'ai eu envie de le déchirer. Puis, j'ai laissé faire. Je l'ai chiffonné et mis sous mon oreiller. J'ai dormi dessus.

Je n'ai finalement dormi que quelques heures, car depuis au moins 2 h 46 que mes yeux sont comme des perles qui brillent dans la nuit sous le reflet de la lune archi ronde qui illumine le ciel. Je le sais que mes yeux transpercent la noirceur. Mon miroir a été déposé juste à côté de mon lit et la lune s'y reflète effrontément. Sa lumière fait un ricochet dans mes yeux et mon propre regard m'accompagne dans la solitude de ma nuit. Je ne dors pas. Trop de choses dans la tête pour me laisser aller dans les bras de Morphée.

Étrangement, je me sens comme si j'avais atterri sur une île déserte, loin de tout. Dans une zone totalement inconnue. La nature sauvage. Mais au lieu d'avoir la mer, des palmiers, du sable et des cocotiers, je suis débarquée en plein bois. Et la mer s'est métamorphosée en rivière. Parce que mes fenêtres sont grandes ouvertes, j'entends toutes sortes de bruits étranges provenant de l'extérieur. Le chuchotement discret mais régulier de l'eau, la petite brise fraîche et le froissement des feuilles. Enfin, j'imagine que c'est tout cela. Je n'ose pas me lever pour aller voir. Dehors, ça m'intimide un peu. En plus, la nuit ! Mon île déserte, je la découvrirai demain. J'ai amplement le temps. Ma mère doit se rendre au théâtre. Première journée de travail. Moi ? Il me reste deux semaines avant le début de l'école. Autant dire une éternité. Surtout quand on est seule. Qu'est-ce que je vais bien pouvoir faire ?

Explorer ma terre inconnue ne devrait pas demander une aussi longue expédition…

Je farfouille sous mon oreiller pour saisir le petit message de ma mère. Ça doit être la version moderne d'une bouteille à la mer. Ma mère essaie peut-être de m'aider à ne pas me noyer dans mon chagrin. Sa citation devient en quelque sorte ma bouée. Et je vais en avoir besoin…

Ahhhh! Ohhh! Aïe! Le soleil a pris la place de la lune! Ses rayons me dardent. J'ai de la misère à ouvrir mes yeux. Note à moi-même: installer des rideaux (première question: est-ce qu'on en a? et deuxièmement, y a-t-il un magasin dans un rayon respectable pour acheter des rideaux si la réponse à la première question est « non »?). Dehors, j'entends craquer. Comme des pas. Pourtant, il est super tôt. Je m'étire pour voir l'heure…

5 h 14. Wow! Quelle longue nuit! Faut que je dorme encore. Mais ce sont vraiment des pas que j'entends, j'en suis certaine même à travers les sons de la nature. Mais avec un autre drôle de bruit comme quelque chose qu'on traîne…

Faut que j'aille voir. Trop curieuse. Autrement, je vais tendre l'oreille en permanence et ne pourrai pas me rendormir. Et j'ai besoin de dormir… Je saute de mon lit et me précipite à ma fenêtre.

— Ohhhhhh!

Je plisse les yeux et ma bouche se tord en une grimace pleine d'interrogation… Il y a un gars qui se promène sur les roches près de la rivière. Un gars environ de mon âge, je dirais… à 5 h 14 du matin? Franchement, il n'a pas autre chose à faire? Pff! Ça doit être un bizarre! J'ai l'ouïe fine… Il traîne un sac à dos sur le gravier près de l'eau. Il s'assoit et sort un livre. Ohhh! Je recule expressément ma tête du cadrage de la fenêtre.

Il s'est tourné vers ici. Je ne veux pas qu'il me voit. Je serais trop… mal à l'aise ? Gênée ? Rouge ? Perplexe ? Franchement ! Pourquoi je réagis comme cela ? C'est juste un gars et il avait juste à ne pas me réveiller. Bon ! Je ne peux pas lui crier après d'arrêter de faire du bruit, parce que ce n'est pas vraiment vrai. Il ne mène pas un train d'enfer. Mais quand même ! Il ne pourrait pas attendre de bouger un peu plus tard ? Il n'a pas de vie pour être debout à cette heure ? Durant les vacances ? Pff ! Je me recouche en mettant mes couvertures par-dessus la tête pour 1) ne pas avoir le soleil sur le bout du nez et 2) ne plus entendre de bruit.

Le silence m'a réveillée, je pense. Il n'y a pas un bruit dehors. Pas plus de mouvement dans la maison. Il est 10 h 54. Ouf ! J'ai récupéré. La première chose que je fais en me levant est d'aller vérifier si le gars inconnu est encore là.

Rien. Parti. Évaporé. Disparu. J'ai peut-être rêvé ? Halluciné ? Imaginé ? Je suis bonne là-dedans.

Je suis bel et bien seule. En dedans et en dehors. À l'extérieur comme à l'intérieur de la maison. Et au fond de mon cœur.

Seule au monde

Pour chasser ma vision de mon esprit, je suis descendue dans la cuisine-salon-salle-à-dîner. Ma mère m'avait laissé une grande feuille… de recommandations ! Franchement ! Je n'ai pas sept ans quand même ! Et que peut-il bien m'arriver ici ? C'est plutôt le contraire qui pourrait survenir : rien. Comme dans le sens de platitude extrême, ennui total et pochetée suprême. S'il m'arrivait quelque chose, cela pourrait être plus excitant, finalement. Mais juste un regard d'éclaireur autour me montre bien que ma journée s'annonce ultra ordinaire. Au moins, le téléphone fonctionne ce matin. Je pourrai appeler Rosalie tantôt. Je sais exactement ce qu'elle va me demander. Sa question ? Facile ! Elle est tellement curieuse que toutes ses pensées se formuleront dans un seul et unique mot : PIS ??? Elle voudra tout savoir. Alors, autant explorer les alentours et ensuite l'appeler.

Je trouve un petit mot sur la poignée de porte. « **C'est à l'intérieur de toi que tout est rose.** » Ça me fait sourire. Bon signe ! Un petit sourire, mais un sourire pareil ! Je pensais que je babounerais pendant des années-lumière. Je fais le tour de la maison. Ça me prend une minute, même pas ! Notre cour ? On n'en a pas. En fait, oui : un patio tout croche formé de neuf pierres un peu brisées sur les coins où trônent une vieille table et trois chaises. Wow ! Mon nouveau terrain de jeux ! (Faut bien rire !) Moi qui avais pris l'habitude avec Rosie de manger dehors près de sa piscine, sous un parasol en nous imaginant être pas loin d'une plage. Ici, je suis catapultée dans une brousse. Et comme dans la maison, il n'y a pas de délimitation : la cour touche au bois (ou c'est le bois qui empiète sur notre terrain, qui sait ?). À environ 38 pas de marche, j'arrive à la rivière. Exactement à l'endroit où j'ai vu le gars cette nuit. Tout est trop calme. Trop paisible. Trop lent. Sans bruit. Sans mouvement. Sans rien. Un paysage qui ne bouge pas.

Par terre, je vois des traces de pas et la démarcation de son sac qu'il traînait. Excellente détective ! Quelque chose brille juste en dessous d'une feuille... Je me penche pour scruter le tout d'un peu plus près...

— Ahhhh !

J'étais tellement concentrée que je n'avais pas entendu « le gars » arriver. Il a avancé le pied dans mon champ de vision alors que je m'étirais la main pour soulever l'herbe. Je n'ai pas juste sursauté. J'ai sauté ! J'ai perdu l'équilibre et failli tomber à la renverse. Gênée (non ! méga gênée !), j'ai repris le contrôle de mes jambes et me suis levée prestement. Ouf ! J'ai replacé nerveusement mes cheveux, dépoussiéré mes jeans du sable et remonté mes lunettes soleil sur mon nez... Le problème, c'est que je n'avais MÊME PAS mes lunettes ! B.R.A.V.O. J'ai eu l'air épaisse !

Lui ? Lui, eh bien, il m'a contournée, a à peine levé les yeux vers moi et a continué son chemin. Pas une expression dans son visage. Il était comme dans sa bulle ou quoi ? Allllooooooooooo ! J'ai failli faire une crise cardiaque à ses pieds et il n'a pas réagi. Même pas galant pour deux sous : il aurait pu me tendre la main pour m'aider à me relever. J'ai eu l'air d'une excitée et lui, il était imperturbable. J'aurais été une branche morte ou une mauvaise herbe et il aurait agi de la même façon ! Il s'est dirigé vers une grosse roche plate un peu plus loin sur l'autre côté de la rivière. Bon, je dis rivière — « rivière Pomerleau », c'était écrit sur un écriteau devant lequel on est passées hier —, mais disons que c'est presque plutôt un ruisseau. L'eau n'est pas plus large que ma chambre. Ici, je pense que les gens voient les choses plus grandes qu'elles le sont réellement. Il a donc traversé la mince rivière en marchant comme un funambule sur les pierres. Ensuite, il a déballé son sac à dos pour en tirer un lunch. Il n'a même pas regardé dans ma direction. Pas une seule fois ! Ça ne doit pas arriver souvent, pourtant, qu'une fille « pousse » dans la forêt où il se promène.

« Allllooooooooooo ? Ici, c'est quoi ? Vous ne dites pas bonjour aux gens ? Youuuuuuuhouuuu ? T'es ben bête ! T'es dans ton monde ? Saluuuuuuut ! C'est quoi, tu te penses bon ? »

Bon, je n'ai pas vraiment dit tout cela. Je ne l'ai crié que dans ma tête. Sérieux ! Je n'en revenais pas. Pas un signe. Pas un sourcillement. Définitivement, il est trop bizarre. C'est anormal d'être si zen ! Si imperturbable. Ça, c'est classé ! Je l'avais deviné à 5 h du matin.

Reste que je m'en veux d'avoir été si gênée et nerveuse devant lui... J'ai eu l'air fou, je pense ! Perdre mes moyens devant... devant... un gars ! Et lui, en plus ! Le fantôme muet ! Je suis enragée. Franchement ! J'aurais dû être indifférente... Pff ! Ah pis, tant qu'à rester comme un piquet dans ma « cour » à sa vue, je suis rentrée. Avec deux fois plus de colère au fond de moi et nulle envie de retourner dehors.

Pourtant, j'y suis retournée.

J'ai essayé de ne pas y aller. J'ai téléphoné à Rosalie, mais elle n'était pas là. Défaire des boîtes me déprimait trop.

Et puis, je me suis surprise à guetter par la fenêtre du salon, puis par celle de ma chambre et encore par celle du salon si je ne verrais pas encore l'inconnu distant… C'est quand même la seule chose de palpitant que j'ai trouvé à faire. Mais je ne le voyais plus. Pourtant, il ne devait pas être bien loin. Il n'a pas pu disparaître quand même ! Alors, tant qu'à tourner en rond dans la maison, je suis ressortie.

Je me suis aventurée sur le bord de la rivière. Avec mes gougounes, ce n'est pas l'idéal ; je glisse sur les pierres et le sable s'infiltre entre tous mes orteils.

— Tu devrais les enlever !

Une voix sortie de nulle part qui m'a encore fait sursauter. Je devais être trop concentrée pour trouver un moyen d'avancer sans m'estropier les orteils ou me retrouver les fesses dans l'eau que je n'ai pas remarqué qu'il était là. Au moins, il n'est pas muet comme je le croyais.

— Hein ? (Que je dis en tournant la tête de tous les côtés. Impossible de me tourner moi-même, j'ai trop peur de glisser. Je suis stable, je reste ainsi !!).

— Tes gougounes, tu devrais les enlever !

C'est une voix de fille. Ce n'est pas l'inconnu distant ! Mais où est-elle ? Pourquoi tout le monde me surprend ici ? J'ai encore le cœur qui cogne en moi. Et je n'ose pas bouger : là c'est certain, je me ramasse direct dans l'eau. Je suis à la fois nerveuse, mystifiée et en équilibre instable. Enlever mes gougounes ? Je veux bien, mais ça implique que je me tienne sur une jambe, sur un pied en équilibre encore plus instable. Et puis ? De quoi elle se mêle cette fille-là ?

Tout ça, ma réflexion dans ma tête, dure à peu près huit secondes. Même pas.

— Tu devrais les enlever et te promener nu-pieds, c'est plus agréable et en plus tu ne risques pas de tomber tout le temps.

— Je ne suis pas tombée.

— Non, pas encore ! Mais ça va venir si tu continues ainsi…

Hey là, ça va faire ! D'abord, un gars qui me jette presque par terre. Puis, une fille qui me dicte quoi faire pour que je ne tombe pas. Et les deux sont soit un mirage muet, soit une voix sans corps. Deux fantômes, genre ! Sérieux ! Je suis tombée sur un endroit fabuleux pour vivre !

— Tu pourrais peut-être te montrer si t'es si fine que cela ! Si tu sais tout !

J'ai essayé de prendre un ton frondeur, presque arrogant. Mais comme j'ai probablement l'air assez ridicule, les pieds sur deux roches différentes, les bras étirés de chaque côté (et je les secoue de temps en temps pour rattraper mon équilibre) tout en essayant de ne pas trop bouger de peur de tomber (et de lui donner raison ! Ça, ce serait trop nul !), je ne pense pas que je suis très convaincante.

— Je suis là !

Oh !!! Grrr ! Elle !! Ultra calme, pendant que je suis à deux doigts de ma deuxième crise de nerfs de la journée. Pourquoi je perds le contrôle et que les « fantômes » sont des exemples de zenitude ! Je ne suis pas zen, moi ! Pas du tout ! Pantoute ! Franchement, j'ai juste le goût… le goût… de pleurer, de crier, de lancer des roches, de donner des coups, de… Je suis à bout.

— Derrière toi.

Bon tant pis. Je fais un pas et d'un geste rappelant les funambules, je lance ma gougoune dans les airs. Pouf ! Mon pied retombe dans le sable… Hum ! C'est chaud ! Ça fait du bien ! En moins de deux, mon autre gougoune vole aussi dans les airs et me voilà pieds nus, solide sur la terre ferme !

— Voilà ! Je te l'avais dit que tu serais mieux.

Là, je peux me retourner et trouver qui me dit tout cela. Étrangement, j'ai pris une minute pour la trouver. Même si elle était tout près.

Une fille. Assise à l'ombre, sous un grand arbre entouré de buissons. On dirait une cachette. Elle lit.

— Ah ! Te voilà ! T'es pas un peu grande pour jouer à la cachette ?

— Je ne joue à rien, je lis. C'est toi qui ne me voyais pas.

— ...

Je suis bouche bée. C'est rare que ça m'arrive, mais je ne sais pas quoi dire. Je suis gênée... mal à l'aise... un peu comme avec le gars tantôt. Sérieux, je pense qu'on est déménagé dans un endroit trop bizarre...

— Je m'appelle Sarah. Je vis juste à côté.

— Pff ! À côté ? Mais je n'ai pas de voisins.

Elle est bonne celle-là. Il n'y a aucune maison visible à côté de la mienne. Trop étrange cette fille !

— Ben oui franchement, c'est nous tes voisins !

— Et t'habites où ?

— La maison à côté de la tienne... même si tu ne la vois pas d'ici. Des fois, tu n'as pas besoin de voir pour que ce soit vrai...

C'est comme une leçon qu'elle veut me donner ou quoi ? Il y a plein de sous-entendus dans ce qu'elle dit. Je ne me laisserai pas faire !

— À côté, c'est vite dit, en tout cas ! Pourquoi tu viens jusqu'ici alors ?

— Parce que j'aime m'asseoir ici. Depuis longtemps que je viens sous cet arbre. Ma meilleure amie demeurait dans ta maison et on était toujours ensemble.

Ici, sous l'arbre, c'était notre point de rencontre...

— Elle est partie ?

— Oui, il y a quelques années. Mais moi, j'ai gardé notre rituel.

Ma colère s'est évaporée un peu face à cette confidence. Et sans que je m'en rende trop compte, j'ai touché du bout de mes doigts mon collier et mes perles. Et j'ai pensé à mon divan rose. Et à Rosalie. À Emma. À Zoé. Et encore à Rosalie.

— Moi, c'est moi qui suis partie...

J'ai serré les perles un peu plus fort et ai remonté le collier jusqu'à mes lèvres pour lui donner un bec. Je pensais avoir été discrète. Surtout que le vent soulevait mes cheveux et faisait un petit écran entre Sarah et moi !

— C'est toi qui l'as fait ton collier ?

— Non, justement, ce sont mes meilleures amies.

— Tu ne peux pas avoir plusieurs meilleures amies.

— Bien sûr, voyons ! Qu'est-ce que tu dis là ?

— Tu pourrais aimer deux gars à la fois ?

Oh là là ! Je pense à Théo et à Colin. Sarah lit-elle dans mes pensées ?

— Non, ça, c'est impossible, je le sais! Mais des amies, tu peux en avoir autant que tu veux.

— Des amies, oui ! Des *bests*, non !

J'étais toujours plantée là comme un deuxième arbre qui lui faisait de l'ombre. Sarah parlait sans me regarder vraiment. Elle fixait quelque chose droit devant elle, comme de l'autre côté de la rivière. À peu près là où l'inconnu muet était ce matin. Oh ! Ah ! Un déclic se fait dans ma tête.

— Hey, j'y pense. Pourquoi tu as dit tantôt « C'est nous tes voisins » ? Qui ça, nous ?

— Mon frère et moi. Tu l'as vu ce matin. Il me l'a dit.

— Le ga... gars..., le gars-là qui ne parle pas et qui a l'air hautain, c'est ton frère ? Et il parle ?

Je pensais qu'elle aurait pu être choquée par ma phrase. Mais non ! Pas du tout. Ses yeux se sont plissés sous l'effet de son sourire. Ils sont devenus minuscules. On aurait dit deux petites gouttes d'eau qui brillent sous le soleil. On ne voyait que des petites rides de soûrires autour de sa paupière.

— Oui ! Le grand timide, un peu bizarre et pas grand parleur, c'est mon frère. Félix.

— Vous formez un drôle de duo. Toi tu me parlais, mais je ne te voyais pas. Lui m'a vue, mais ne m'a pas parlé.

— On est probablement les jumeaux les plus différents du monde... mais les plus liés aussi !

— Vous êtes jumeaux ???

— Quoi, ça te surprend ? Les jumeaux ne sont pas comme cela d'où tu viens ? C'est comme pour les voisins ?

J'ai peut-être été un peu trop ironique... Ses yeux se sont assombris.

Fini le sourire ! On dirait qu'il y a un vent de reproche dans sa voix. Je n'ai rien dit de mal, pourtant ! Pffff ! Trop bizarres mes voisins ! Je rentre. Je sens remonter en moi une pointe de colère. Je n'aurais pas pu tomber sur des gens normaux ? Pas des jumeaux étranges ! Je me prépare à faire demi-tour et sa voix vient me surprendre encore. Moi qui pensais que Sarah ne me regardait pas. Elle a des antennes ou quoi ?

— Salut Frédérique !

— Salut !

Mais... euhh... ?

— Comment sais-tu comment je m'appelle ?

— Ici, on écoute. Ma mère a rencontré ta mère ce matin...

J'ai haussé les épaules et suis partie vers la maison. Là, promis je ne sors pas. Jusqu'à la rentrée. D'abord, Félix le silencieux. Puis, Sarah, la philosophe qui voit tout.

Je ferme la porte et m'enferme chez moi. Ainsi, je suis certaine de ne plus être dérangée par mes « voisins lointains ». Certaine que mon cœur restera intact. Et que je ne perdrai plus la face.

J'ai passé le restant de la journée écrasée soit sur mon lit, soit sur mon divan rose. Je n'avais envie de rien. Rien. Rien. Rien. On aurait dit que le temps n'avançait pas. C'était loooooooong ! Terriblement long ! Quand j'ai trop de temps, je pense. Pourtant, je ne voulais pas que ma machine à idées (et à souvenirs surtout) s'emballe. J'ai essayé de stopper le flot de pensées, mais sans succès. Quand je pensais à ma « nouvelle vie », loin de tout, à 864 kilomètres de mon bonheur, j'en voulais instantanément à ma mère de m'avoir imposé ce choix stupide. C'est elle qui voulait un enfant ; elle n'avait qu'à assumer maintenant ! J'en voulais à Sarah et à Félix d'être toujours dans les parages et de me voir avant même que je ne les remarque. Ils en ont des manières. Et puis, le pire. Le pire du pire du plus pire. J'avais mal quand je pensais à Théo. Mon cœur voulait se fendre. Trop loin pour me tenir la main. Trop loin pour nos rendez-vous au parc. Trop loin pour placoter sans fin. Trop loin pour mettre mes lèvres sur les siennes. J'ai plissé les yeux très très fort pour ne pas pleurer. Et étrangement, j'ai réussi à ne verser aucune larme.

Mais quand j'ai pensé à combien j'étais seule ici, dans ce monde au ralenti, j'ai eu un méga vertige. Loin de mes amies. Loin de Rosalie. Comme Sarah qui s'ennuie encore de sa meilleure amie des années après son départ. Ça ne me console pas. La peine est longue. Je me sens trop seule. Dans une vie trop tranquille alors que je suis habituée à bouger, à vivre à 200 km/h (hey! Ça me prendrait moins de temps me rendre jusque chez nous…), à avoir 12 projets en même temps… On dirait que plus rien ne me tente! Je ne suis plus la même Frédérique. Je suis la Frédérique noire et sombre. Je suis trop loin de mes amies pour être la Frédou rose et lumineuse. Je suis Fred, la veilleuse. Qui attend. Qui n'est pas très forte.

C'est là que j'ai pleuré. Tellement…

Quand ma mère est revenue du boulot, j'étais dans mon lit, probablement dans la même position que lorsqu'elle est partie. Il n'en fallait pas plus pour l'inquiéter.

— Tu n'es pas sortie, ma Frédou ? J'ai vu la voisine ce matin. Elle a des jumeaux de ton âge. Tu aurais dû aller les voir.

« Voisine » ? Ma mère a déjà oublié c'est quoi de vrais voisins ? De vrais voisins, c'est Rosalie. C'est voir de sa chambre la maison de sa meilleure amie. C'est avoir un téléphone, un cellulaire et une ligne Internet qui fonctionnent jour et nuit.

— Internet devrait fonctionner d'ici une demi-heure. Tu vas pouvoir *chatter* avec Rosalie.

Ohhhh ! Enfin ! Du vrai ! De la rapidité. De l'instantanéité. Du spontané. Ça m'a donné le goût de me lever. Un projet intéressant. Et avec Internet, au moins, je reste plus en contact avec le monde extérieur. Pas la rivière, le gros arbre et les cailloux. Le vrai monde. J'aurais presque l'impression en fermant les yeux que je suis dans mon ancienne chambre, vraiment à quelques dizaines

de pas de chez Rosalie. Une douce illu-
sion.

J'ai vite désenchanté. La connexion
est comme le reste des choses ici : ultra
lente. Ce n'est même pas le mot. Juste
trouver la connexion réseau a pris deux
éternités et demie, et ensuite, pour me
brancher sur la messagerie instantanée,
je pense que j'aurais pu me changer en
statue tellement que c'était long. J'ai
abandonné l'idée de parler à Rosie de
cette façon. Pleine de hargne, j'ai fermé
l'ordi au complet ! Une autre preuve que
le destin voulait que je me sente vraiment isolée, loin de toute mon ancienne
vie, perdue dans un monde ultra lent,
dans le fond d'un bois et où je ne connais
personne… sauf deux jumeaux étranges.

Je n'aurais pas dû fermer l'ordi. Après
le souper (mangé en silence parce que
j'étais encore emmurée dans ma peine-

ennui-chagrin-colère!), j'ai pris le portable et l'ai apporté dans ma chambre.
Installée sur mon divan rose, j'ai dû re-
patienter pour l'ouvrir à nouveau. J'avais
terriblement besoin d'écrire à Rosalie.
Juste envie de dire toute ma frustration,
toutes mes mésaventures, mon ennui et
ma peine à quelqu'un. Ma mère? Pas
envie encore. Je sais que je boude, mais
c'est plus fort que moi. On ne va pas
raconter ses malheurs à celle qui les a
créés. Elle ne pourrait pas comprendre
vraiment, non?

Comme fond d'écran, une autre pensée de ma mère. À moins que cela ne
soit l'esprit de l'ordi! « **C'est la nuit qu'il
faut croire en la lumière.** » Ma veilleuse
dans la noirceur, elle ne fait pas le poids.
Elle est trop petite. Trop faible. Au fait,
est-elle toujours là ou est-elle éteinte?
Je ne sais même plus.

Au moins, mes doigts voguent à une
vitesse folle sur le clavier. Ça, ça n'a pas

changé. Ils sont aussi vite ! Quand j'hé-
sitais à trouver mes mots, je touchais un
peu mon collier et on dirait que je sentais une petite décharge électrique et
l'inspiration, et pouf ! Tout redevenait
facile ! Mon collier a des pouvoirs, je
pense ! Et en moins de 15 minutes, j'avais
écrit un ro-man à Rosalie. Elle allait
capoter en le lisant. Elle ne croirait pas
que ma vie est devenue ainsi avec mes
deux rencontres abracadabrantes.

J'ai déposé l'ordi sur le plancher en
le gardant ouvert. Demain, je vais gagner
du temps… Je me suis roulée en boule
sur mon divan, la main entourant mon
collier et me suis endormie, un peu plus
apaisée avec, comme vraie veilleuse, une
demi-lune blanche qui reflétait des
ombres sur mes murs.

4

Un OVNI dans ma vie

Au petit matin, j'avais encore les yeux fermés, lorsque j'ai encore entendu gratter dehors. Même pas besoin de vérifier ! C'était assurément Félix. Mais, je me suis levée quand même. Sans trop me placer devant la fenêtre, je l'ai observé. Grand, mince, cheveux bruns un peu bouclés négligemment placés (en fait, ça ne doit être pas peigné du tout !), les yeux... je ne vois pas. Je m'approche un peu de la fenêtre, et crac, un des battants ouvre dans un bruit épouvantable qui contraste avec le silence ambiant. Bravo ! Félix tourne instantanément la tête vers moi. Il est muet, mais pas sourd ! Ses yeux ont croisé les miens quelques secondes (au fait, ils sont bruns ses yeux !) puis sans expression et sans précipitation, ni gêne ni rien, il a repris son chemin. Moi ? J'étais tout en sueurs. J'ai encore gaffé, moi qui ne voulais pas être vue. Je ne suis pas bonne comme eux pour être discrète en tout cas. Je suis rouge tomate, je le sens. Mes joues pico-tent. Mais, il me semble que j'ai remar-qué une esquisse de sourire au bord de ses lèvres. Comme un mini mini début de lèvres qui remontent vers le haut pour aboutir en un sourire, mais sans y par-venir. J'ai peut-être rêvé. Et puis ? Pff ! Tant pis pour lui ! Félix de marbre !

Avec tout mon énervement, je n'avais même pas vu que ma boîte de réception clignotait. J'avais un message... Rosie ? S.v.p. s.v.p. s.v.p. s.v.p. ! Faites que ce soit Rosie. Je me sentais comme la première fois où Théo devait m'appeler et que je faisais une prière chaque fois que le télé-phone sonnait...

Je me suis sentie dynamisée tout à coup. C'était elle, j'en étais certaine. Il FALLAIT que ce soit elle !

C'était elle.

J'aurais reçu une injection d'énergie dans le corps que je n'aurais pas été plus dynamisée. J'ai eu un grand frisson électrique en lisant le message. À la fin, j'ai hurlé « YÉÉÉÉÉÉÉÉÉÉÉÉÉÉÉÉÉ » tellement fort que je suis certaine que même mes nouveaux voisins éloignés doivent l'avoir entendu. En tout cas, je venais assurément de déranger Félix le solitaire sur sa grosse roche !

Rosalie allait venir me visiter. Elle arriverait dans trois jours si ma mère était d'accord. Ce sera trop génial ! Avec Rosalie, je vais conquérir mon nouveau territoire. À deux, tout me paraîtra moins pire. Peut-être que je pourrais la kidnapper pour la garder avec moi toute l'année scolaire ? J'étais trop trop contente.

Trois jours, c'est loin quand une minute dure déjà le triple de sa durée habituelle. Mais j'ai survécu. J'ai aménagé ma chambre et décoré un peu en affichant au moins 40 photos de mes amis et moi partout (en fait, c'est plus qu'un peu, je me rends compte !). J'ai placé et replacé les meubles pour trouver l'alignement parfait. J'ai mis mon lit près de la fenêtre. Ainsi, sans même me lever, je peux jeter un coup d'œil sur la rivière. Pas que je veuille surveiller les allées et venues de Félix ou les escapades mélancoliques de Sarah, nooon ! Pas du tout ! Sérieux ! Simplement que moi aussi je pourrai les voir sans qu'ils me voient. Ah ha !

Finalement, elle est arrivée à 7 h 45. Elle a fait le trajet de nuit pour dormir et arriver en top forme ! Génial ! Ma mère et moi sommes allées la chercher au terminus d'autobus dans la ville voisine (ville… façon de parler! Gros village…!). J'étais excitée comme si je ne l'avais pas vu depuis des années. Et en même temps, j'ai eu une pensée pour Sarah et son amie… Ça m'a un peu surprise, car je ne lui ai pas reparlé depuis notre première rencontre. En fait, je ne l'ai pas revue.

Dès que j'ai vu Rosalie, c'est comme si elle avait ramené avec elle la vieille Frédérique dans ses bagages. Peut-être que je l'avais oubliée dans mon ancienne maison ou sur le banc du parc. J'ai ressauté dans ma peau! Je me suis sentie revivre, un peu. C'est l'effet Rosalie! Dans ma chambre, assises sur le divan rose, on pouvait croire que c'était comme avant et qu'on n'était pas sur le tranquille chemin du Petit Bouleau. Comme si tout était possible à nouveau…

J'ai exigé tout de suite qu'elle me parle des filles… Je voulais tout savoir. Je ne l'ai pas prié longtemps. Rosie aime teeeeellement raconter les potins et les aventures de tout le monde, surtout depuis qu'elle ne sort plus avec Pierre-Hugues. Donc, selon ses observations et les confidences reçues, Emma est revenue de la plage rouge comme un homard, car elle a passé trop de temps immobile à surveiller le paysage... Le paysage des « sauveteurs », plutôt ! Même si Charles-Éric est toujours son chum, elle a vu pas moins de sept beaux gars et a même pris des photos pour Rosalie. Assurément, Emma est moins timide qu'elle l'était avant. Sauf que le problème pour Rosie, c'est qu'elle ne connaît pas le nom ni le courriel de ces potentiels amoureux. Zoé, de son côté, rien ne va plus avec Lucas. Il n'en a plus que pour ses amis et Zoé se sent rejetée. Alors, elle se lance dans tous ses sports et activités pour compenser ! Vraiment tout se bouscule ! Et pas juste dans ma vie, finalement ! Je n'avais rien remarqué. Rien.

Et c'est sûr, j'ai voulu qu'elle me parle de Théo. Je n'aurais peut-être pas dû... Autant j'étais étincelante il y a deux minutes, autant je suis maintenant maussade et grise depuis qu'elle m'a raconté. Oh! Rien de spécial! Ni rien de dramatique! Ni rien de choquant! Mais juste le nom de Théo me fait frissonner! Je n'avais plus entendu quelqu'un prononcer son nom depuis que je suis partie. Je l'avais enfoui au fond de ma mémoire pour essayer de l'oublier, pour me convaincre qu'il n'a pas existé, pour ne plus penser à notre amour disparu...

Rosie n'avait pourtant pas grand-chose à me raconter sur Théo. Il ne lui a presque pas parlé depuis mon départ. En fait, il fait comme si rien n'avait changé. Comme si la vie avait continué comme avant. C'est peut-être un peu de ma faute, c'est ainsi que je l'ai voulu en le mettant devant le fait accompli que j'allais partir et ne plus revenir. Sérieux, il est bon comédien finalement, lui aussi!

Mais il y avait plus. J'avais deviné. Quelque chose dans les yeux de Rosie ou sa façon de replacer toujours la même mèche sur son front me laissait deviner qu'elle ne me disait pas tout. Foi de Frédérique, j'allais tout savoir!

J'ai su. J'ai réussi à soutirer à Rosalie que Théo laisse déjà les « groupies » du hockey, Tania et Laurie probablement en tête, le suivre. Pas mal trop à son goût, même!

— Elles lui tournent autour. Des vraies sangsues! Comme quand tu voyais Colin et qu'il était un peu jaloux… En tout cas, depuis que tu es partie, elles ont profité du fait qu'elles ont le champ totalement libre.

Pff! J'ai croisé les bras et levé les yeux au ciel. Pas vraiment parce que j'étais exaspérée ou dépassée par ce qui arrivait. Non. Plutôt pour empêcher les larmes de dégringoler. Parce que si je recommence à pleurer, peut-être que je ne pourrai plus arrêter. Encore. Et je ne veux pas. Ces filles-là n'attendaient que cela pour revenir rôder autour de Théo. J'ai mordu ma lèvre. Un peu trop parce que j'ai senti une goutte de sang perler, mais au moins je n'ai pas pleuré.

Pour se changer les idées, Rosalie a proposé qu'on aille se baigner. Bien sûr qu'elle avait trimballé son maillot. Trop évident ! Elle ne rate aucune occasion de sortir l'un de ses huit préférés. Je savais surtout qu'elle se tordait de curiosité à l'idée de rencontrer Félix, et ce, même si je lui ai dit que c'était le gars le plus bête et le plus imperturbable de la terre. Sérieux ! Je suis certaine qu'elle se pavanerait devant lui avec ses plus beaux atours, ses cheveux blonds au vent et ses grands yeux accrocheurs et il ne sourcillerait même pas. Il ne la remarquerait peut-être même pas tellement il a l'air dans son monde, dans sa tête, dans sa bulle… Elle devrait ne pas jeter son dévolu sur lui, en tout cas ! C'est un drôle de moineau pour elle ! Mais retenir Rosalie d'aller voir de quoi a l'air un nouveau gars, c'est quasi impossible… En fait, je n'ai même pas essayé !

Je n'étais pas retournée à la rivière depuis mes deux rencontres. Je mettais une distance entre mes similivoisins et moi. Je ne voulais pas qu'ils réussissent encore à me faire perdre les pédales.

On s'est baignées presque toute la journée. Rosalie ne faisait pas que « regarder le paysage » comme elle me le disait. Elle scrutait les environs ! À tout instant, elle sursautait au moindre petit bruit. C'est là que j'ai réalisé que je m'étais habituée plus que je ne le croyais aux sons de la nature. Et ce, au travers de ma fenêtre.

Je n'étais peut-être pas retournée à la rivière, reste que je l'avais surveillée de mon lit... Souvent, entre un élan de décoration ou un moment de déprime en attendant Rosalie, je m'étendais sur mon lit et je guettais. Je guettais Félix ou Sarah. J'avais reconnu le bruit des pas de Félix. Avant même d'ouvrir les yeux, je savais s'il faisait frais ou non, juste à écouter le chant des feuilles secouées dans les arbres. Je pouvais savoir, selon la cadence et le rythme, si c'était Félix ou Sarah qui marchait sur les pierres. Bon! Des fois, je me trouvais pathétique d'agir ainsi. Mais c'était devenu mon petit jeu. Sérieux! Comme un passe-temps! Il n'y a tellement rien à faire, ici.

Bref, Rosalie, elle, n'a pas mon oreille aiguisée! Pff! Loin de là! Et même si elle ne le disait pas vraiment, je savais trop qu'elle voulait voir Félix. Pas question qu'elle manque sa brève apparition... Un peu plus et elle sursautait au passage d'un papillon ! C'était presque exagéré ! Et je ne comprenais pas pourquoi elle tenait tant à le voir tout de suite, aujourd'hui ! C'est vrai ! Jamais, je ne l'avais décrit comme un gars potentiellement intéressant ! Tout le contraire, même ! Sérieux ! Ce gars-là ne semble pas s'intéresser à grand-chose d'autre que lui-même. Il doit être le pire « rejet » de l'école. Celui dont tout le monde rit. Il doit être le pire bizarre de la ville, du village, plutôt. Celui que tout le monde fuit.

Le soir, on a mangé... de la pizza ! Sur le divan rose ! Presque comme avant ! On a caressé nos colliers respectifs du bout des doigts pour qu'Emma et Zoé soient un peu là elles aussi !

— Tu n'as pas touché aux perles que je t'ai données ? Tu aurais pu t'occuper avec cela.

C'est vrai ! J'aurais pu… pourquoi je ne l'ai pas fait, donc ? Pas envie ? Pas d'inspiration ? Pas le temps ? Non, ce n'est pas cela, certain. J'en ai plein de temps. Mais je l'ai occupé à autre chose. À quoi donc ?

— Pas eu le temps…

Voyons ! J'ai vraiment dit cela comme excuse… Je suis nulle !! Rosalie ne m'a évidemment pas crue… Elle m'a fait un drôle de sourire. Un sourire qui veut dire « Je ne te crois pas du tout ! » ou « Ne me joue pas un jeu ! » ou encore « Regarde-moi bien : je sais que tu me mens ! Que tu caches autre chose ! »

Pour faire diversion, j'ai ouvert les vannes de mon cœur qui n'en finit plus de se lamenter… J'ai recommencé à me plaindre. De ma nouvelle vie poche ! De ma maison éloignée de tout ! De ce paysage trop tranquille ! De mes jour-nées trop longues. De mes « non-amis ». De mon ennui d'elle. De ma mère qui essayait d'être trop gentille. De ce qu'il n'y a rien à faire ici. De cette vie en suspens. De tout ce temps que j'ai. De tout ce que j'ai à recommencer. De tout, finalement !

Pff ! J'ai vraiment le cœur dur. L'oreille dure aussi. Je suis une idiote. J'ai dit que Rosie n'avait pas l'oreille aiguisée, moi j'avais les deux yeux bouchés. Durs ! Je suis la pire des ingrates. Je n'avais pas vu la peine de mon amie. De ma meilleure amie ! De ma plus vieille amie ! Je n'avais pas lu comme il faut au fond de ses yeux. Je n'avais pas détecté son chagrin immense dissimulé derrière une façade enjouée.

Je ne sais plus trop comment je l'ai remarqué, mais je pense que pendant que je m'épanchais sur un côté de mes « supposés » grands malheurs, j'ai vu que Rosalie ne me regardait plus. Elle avait même tourné sa tête vers la fenêtre. Les yeux perdus sur le champ d'étoiles dans le ciel. L'air d'être à 10 000 km de moi.

Elle a ouvert la bouche et s'apprêtait à laisser s'échapper quelque chose. Un morceau d'elle sûrement douloureux parce qu'elle a préféré ne rien dire, finalement. Son corps a été soulevé par un long et profond soupir d'une infinie tristesse. Elle a levé les yeux, mordu sa lèvre inférieure et fermé ensuite les paupières dans un ultime effort pour ne pas pleurer. Je le sais trop, parce que je me suis reconnue dans tous ses gestes ! Faut-il être une amie sotte ? Alors que je déballais ma peine et mes déceptions, je n'ai pas vu les siennes. Je suis aussi pire que Félix l'être inatteignable et muet ! Je suis Fred, l'être insensible et aveugle !

Je lui ai juste dit « raconte » en déposant la main sur son genou. Et j'ai attendu. Je me suis tue en attendant la suite. Le silence attire les paroles parfois (ma mère a déjà dit cela une fois !) ! Pour cette fois-ci en tout cas, elle a eu raison. Ça a marché ! Rosalie a parlé, mais en continuant de fixer les étoiles dans le ciel. Ça faisait peut-être un petit paravent à ses sentiments de ne pas me regarder dans les yeux.

— Moi, Fred, si tu savais… Si tu savais…

Quoi dire ? Il n'y avait rien à dire. Elle devait me le dire, me le lancer à la figure au pire pour qu'elle se libère.

— Si tu savais comme je changerais de place avec toi ! Même si la connexion Internet est poche, même si tu es toute seule toute la journée, même si tu as des voisins supposément étranges, même si tu dis que ta mère est fatigante, même si tu as trop de temps pour ne rien faire, même si… même si…, eh bien, je changerais de place avec toi ! Tout de suite ! Même pour vivre dans un village perdu au fond des bois avec aucun magasin tout autour, même si je devais te perdre un peu… Tellement ! Je n'en peux plus de vivre chez nous des fois ! Ma mère ne me voit pas, j'ai une liste de tâches à faire et en plus je garde les deux pires petites pestes de la Terre. Vraiment, être ici, loin de tout, avec une mère aussi cool que la tienne, à ne rien avoir à faire que des trucs que tu aimes, je sauterais sur l'occasion ! Je recommencerais. Nouveau départ ! Et j'en profiterais ! Je me sens emmurée chez nous. Ici, tu es libre !

Ouf ! Je ne m'attendais pas à une telle révélation. Il n'y a encore rien à dire… Je l'ai juste prise dans mes bras. Rosie n'avait pas besoin de mes paroles, juste de savoir que j'étais là. Comme j'avais eu besoin d'elle. Elle a essuyé ses larmes et les miennes parce que j'avais recommencé à pleurer. Comment j'avais fait pour ne pas voir qu'elle était malheureuse ? Je m'en voulais ! Mais elle, elle ne m'en voulait pas une miette ! Ça, c'est la beauté de Rosalie ! Pas une graine de malice ou de ressentiment. Et un cœur gros comme cela, toujours prêt à aimer et à pardonner…

On s'est endormies toutes les deux sur le divan rose. Moi, pas mal plus tard qu'elle en entendant résonner inlassablement dans ma tête ses dernières paroles. « Ici, tu es libre… »

Est-ce que je suis en train de me tromper ? Est-ce que je vois vraiment tout trop en noir ? Est-ce que je me suis perdue en chemin ?

J'ai regardé le pot de billes et de perles. On aurait dit qu'il me narguait. La lune faisait encore miroiter des lueurs faibles, mais colorées sur le mur. Pourquoi je m'enlise dans ma peine au lieu de m'accrocher à quelque chose pour m'en sortir ? Pourquoi je ne saisis pas l'occasion d'avoir tout ce temps pour commencer un projet quelconque ? Moi qui adore cela en plus…

Pourquoi je me sens à côté de moi ? On aurait dit que… On aurait dit que Rosalie avait réveillé l'ancienne Fred que j'avais si rapidement perdue… Peut-être pas réveillée tout à fait, mais il y avait quelque chose dans la pénombre de cette nuit qui me faisait croire que j'allais me retrouver… la moi que j'aime… pas la moi déprimée !

— Rosie ! Rosie !

Pas facile de réveiller mon amie ! J'avais regagné mon lit et je regardais par la fenêtre. J'ai dû aller la pousser dans les côtes un peu, en lui donnant trois ou quatre petits coups sur la taille.

— Rosaliiiiiiiiiiiiiie ! Réveille ! Il est là !

Oh ! Rien qu'à dire que Félix était là et ses deux yeux se sont ouverts. Des billes ! C'était le meilleur réveil, finale-ment ! Elle a bien failli débouler en bas du divan tant elle s'est levée prompte-ment. Une décharge électrique sur une fesse n'aurait pas été aussi efficace ! Ses nouveaux cheveux longs blonds en brous-saille, la joue pleine de stries parce qu'elle a dormi sur mon coussin poilu, elle s'est garrochée à la fenêtre.

— Chuuut ! Rosie ! Quand même ! Je ne veux pas qu'il sache que je suis là. Qu'on est là !

— Ah ! Ben moi, Fred, je veux le voir… Arrive ! On descend !

— NON !

Elle est folle, mon amie ? Je lui ai dit et redit qu'il était trop bizarre. Qu'il était bête et méchant. On ne va pas lui tourner autour en plus ! Je vais avoir l'air d'avoir parlé de lui sans arrêt ! Il va s'imaginer des choses… Il va penser que je m'intéresse à lui… Même si c'est un peu vrai.

Je n'ai pas eu le temps de m'obstiner. Rosalie m'a entraînée dehors… Je n'ai pas vraiment résisté. Et je ne sais même pas pourquoi…

Pire que tout ! En arrivant sur le bord de la rivière, on est tombées nez à nez avec Sarah. Le comble du bonheur pour Rosalie. Moi, je ne savais pas trop quoi en penser. J'avais reperdu mes moyens, ma bonne humeur et mon entrain.

— Tu ne nous présentes pas, Fred ?

— Euhh, oui, oui, Rosie. Désolée… C'est Sarah, ma « voisine ». Sarah, c'est Rosalie, ma meilleure amie.

J'ai dit cela en mimant les guillemets et en insistant un peu trop sur le mot « meilleure ». Je pense que Sarah a saisi mon ironie. Un peu trop. J'ai regretté de l'avoir dit ainsi. Mais sérieux, c'est comme un mécanisme plus fort que moi. Pour me protéger, peut-être ! En tout cas, je ne suis pas douée. Je bousille tout. Je croyais que c'était peine perdue. Que Sarah irait se réfugier dans sa cachette et que son frère nous ignorerait encore (et toujours !)… Effectivement, ça aurait été le scénario probable si j'avais été seule. Je serais rentrée à la maison. Mais là, c'était différent. Rosalie était là et ça aurait été sous-estimer ses pouvoirs pour tout rescaper.

Je ne sais pas trop comment elle y arrive, mais elle peut chasser la mélancolie, la peine et la colère de presque tout le monde. Même des gens qu'elle ne connaît presque pas. C'est exactement ce qui s'est passé… Au lieu de laisser Sarah toute seule, elle est partie à sa suite et s'est assise juste à côté d'elle dans son abri, sans même attendre l'invitation ou un signe quelconque. Elle a osé. Simplement. Je dis « simplement », mais je ne trouve pas cela facile du tout… Moi, j'ai suivi parce que Rosalie est trop convaincante. J'étais persuadée qu'on passerait un avant-midi ennuyeux… Je me suis trompée ! Sur toute la ligne ! On a rigolé. J'ai flanché. Moi aussi j'ai ri et ça m'a fait du bien. Même que Félix est venu nous rejoindre. Je ne l'avais jamais vu avec sa sœur. C'est fou comme ils ne sont pas pareils et qu'à la fois ils se ressemblent. Et pour la première fois, je l'ai vu… sourire ! J'ai vu ses yeux s'allumer. J'ai vu de la vie dans son regard. Tout cela sous l'effet de Rosalie… Elle est magique mon amie. Elle injecte du bonheur partout autour d'elle…, mais pas dans sa propre vie. Est-ce cela être une amie ? Donner aux autres ce qu'on a de la misère à faire pour soi ? S'assurer que les autres soient OK avant de penser à soi ?

Tous les quatre sous l'arbre, dans une cachette un peu spéciale, on a jasé longtemps. De tout et de rien ! On est entrées 10 minutes pour ressortir avec plein de trucs pour manger dehors. On a même apporté les restants de pizza. Pizza et nature ? Nouveau mix ! Je n'ai pas vu le temps filer. On dirait que Rosalie nous tissait un fil d'amitié. Ça ne se peut presque pas… J'ai touché mon collier discrètement comme pour remercier la vie d'avoir mis Rosalie dans la mienne ! Rosie m'a vue et m'a envoyé un clin d'œil complice. Je suis en haut de mes montagnes russes d'émotions. Je me sens bien…

— Il ne m'a pas regardé une seconde, Fred ! Pas une ! Mais je peux le trouver beau quand même ! Ça se peut, cela ? Non ?

— Beau ? T'exagères !

— Pas vrai ! Tu as vu ses yeux ? Brun ultra chocolat ! Et ses cheveux… Je mettrais bien mes mains dedans !

— Franchement, Rosalie !

— Ben quoi ? Il est beau, c'est tout ce que je dis ! Et comme je te disais, il ne m'a pas regardée et je n'ai pas envie d'un chum à 864 kilomètres de distance. Tu me l'as assez répété la distance ! Et tu sais quoi, Frédou… il ne m'a pas jeté un regard, car il te regardait tout le temps…

— N'importe quoi ! Il devait surveiller mes répliques ! T'inventes ! C'est toi qui as réussi à le faire sortir de son mutisme ! Moi ? Pff ! N'importe quoi, je te le répète. Et puis, il ne m'intéresse tellement pas… Tu veux toujours matcher tout le monde… Je te concède juste le fait qu'il était totalement différent que d'habitude.

— D'habitude ?

— Beeeeennn… Euh… Je veux dire que lorsque je le vois…

— La vie derrière une fenêtre, ce n'est pas la vraie vie, Fred…

— Qu'est-ce que tu insinues ? Je le vois bien comment il est étrange. Je n'ai pas vraiment envie de le choisir comme ami… Il ne doit pas en avoir un seul à l'école ! Je ne veux pas me tenir avec un « rejet ». Je vais déjà assez me faire juger durant la première journée. Si, en plus, il faut que je me tienne déjà avec le gars le moins populaire de l'école... Ce sera peine perdue ! Il est trop distant et farouche, en plus ! Il faut l'apprivoiser, genre ! Ça ne me tente pas pantoute !

— Je ne t'ai pas dit de te garrocher dans ses bras... Je te dis de lui laisser une chance, à lui et même à sa sœur. Je les trouve très cool, sérieux !

— Pff ! Ils sont solitaires, sur leurs gardes, et préservent pas mal trop leur territoire...

Rosalie n'a rien dit. Rare ! Mais c'est mauvais signe. Surtout qu'elle m'a envoyé un autre de ces fameux sourires. Je ne sais même pas si j'ai rêvé ou quoi, mais j'ai entendu dans un murmure « comme toi... tellement comme toi... ! »

Dans nos pyjamas, jusqu'à tard, on a encore et encore jasé. Demain, Rosalie repartira. À 864 kilomètres de mon cœur.

De moi. J'allais reprendre ma vie de solitude ici. Toute seule. L'école commence dans deux jours. Sa visite express m'a fait du bien. Elle m'a fait promettre d'arrêter de résister aux changements et qu'elle, de son côté, allait provoquer du changement dans sa vie. « On ne peut pas regarder la vie à travers une fenêtre, il faut la toucher… », qu'elle m'a dit. Sérieux, elle devient philosophe, Rosie ! L'air de la forêt ne lui fait pas ! Elle va se mettre à m'envoyer des messages comme ma mère.

Encore une fois, j'ai regardé longtemps par la fenêtre avant de m'endormir. Rosalie n'a peut-être pas tort. Je devrais peut-être arrêter de faire cela et vivre la vraie vie ? Arrêter de me protéger ? De foncer, plutôt ? Retrouver la vraie moi qui n'a peur de rien et qui a mille projets en tête ?

Je me suis endormie un peu, la tête sur la fenêtre. Et là, je ne sais pas si j'ai rêvé ou non. Si j'ai halluciné une lueur dans la nuit, près de la rivière. Sur la roche où Félix est toujours. Se peut-il qu'il soit là au milieu de la nuit ? Il fait quoi ? M'a-t-il envoyé un signal ? Je rêve… Je fabule, sûrement. Je me suis demandé si je devais réveiller Rosalie, mais des plans pour qu'elle veuille sortir dehors. Et puis, je ne vois plus rien. Pas l'ombre d'une lumière… Tout est noir. Silencieux. Sauf pour une chose. Le boum-boum de mon cœur. Mais qu'est-ce qu'il a à s'éner-ver, celui-là ? Pour Félix ? Félix ? Non… ça ne se peut pas !

Une fois Rosie partie, il me restait quand même quelques jours à passer avant que l'école commence. J'ai trouvé mes journées longues. Mais j'ai com-mencé à faire des colliers. Après avoir

trié et classé les perles, je me suis installée sur mon divan pour commencer la
fabrication. Puis, on dirait que l'inspiration ne me venait pas. J'ai transporté
tout mon bataclan sur le bord de la
rivière. Ainsi, j'allais conquérir mon nouveau territoire. Et avec quelque chose
pour m'occuper les mains et l'esprit (mais
rien dans les pieds : j'ai eu ma leçon), il
me semble que c'était moins énervant. Ce
n'était pas comme si j'allais flâner sur
le bord de la rivière en espérant que Félix
ou Sarah se pointent. J'avais vraiment
quelque chose à faire. En tout cas, c'est
sûr que j'avais l'air moins de celle qui
attend, qui guette et qui ne fait rien.
Sérieux, c'est vrai ! Même si Félix et Sarah
vont et viennent autour de la rivière, ils
ont toujours quelque chose à faire. Félix
pêche. Sarah lit. Moi ? Je ne faisais rien…
Là, on est quittes !

Et le plus merveilleux, c'est que j'aime
faire des colliers, je crois. Il faut que je

trie les perles, les examine et les choisisse. Bien sûr que ça paraît facile, voire niaiseux. Mais il y a plus que le choix des couleurs. Les billes que Rosalie m'a données sont différentes pour de multiples raisons. Certaines ont des formes originales, d'autres des effets texturés, certaines sont mates, d'autres brillent instantanément, etc. Et puis, on ne peut pas mélanger les genres sans réflexion. Il faut trouver l'agencement qui donnera un peu de « oumfff » au bijou. Moi, je n'aime pas un collier uniforme. Si je choisis d'en faire un tout rouge, alors je vais au moins varier les textures et les grosseurs de billes. L'unité tient dans la différence… Et surtout, grâce à mon nouveau passe-temps, non seulement le temps passe plus vite, mais je me retrouve ! Tout cela en enfilant de minuscules perles sur un fil, faut le faire !

La pire nouvelle

Une touche de mascara ? Un petit trait sur la paupière ? Première journée d'école : je me maquille ou non ? Je n'ai jamais été « adepte » du gros maquillage exagéré, mais juste une petite touche… Ma mère disait oui l'an passé. Si c'était discret… Mais là, dans mon école de bout de chemin, dans un village, est-ce que les filles se maquillent ou pas ? Je ne veux pas faire à part. Déjà qu'il faudra que je me mette en mode « je me fais des amis ». Ça me tente zéro. Finalement, je resterais encore deux ou trois semaines, ou toute la vie, sur ma roche à faire des colliers. Dommage ! Dès que j'y prends goût, il faut que je change de place, que j'affronte un autre pan de ma réalité. Sur ma roche, je ne risquais rien. J'avais déjà traversé ma fenêtre. Je ne faisais plus seulement regarder la vie, protégée derrière une vitre, comme le souhaite Rosalie. Alors pourquoi il faut que je change encore? Aaaahhh! Toutes ces réflexions à cause d'une question de maquillage ou non.

J'aurais dû suivre ma mère au village quelques fois. J'aurais peut-être pu observer les autres jeunes. Je me suis piégée en me cloîtrant dans ma chambre ou sur une roche au bord de la rivière. Sérieux! Je commence à être tannée de ne plus me retrouver et de vivre en permanence dans une montagne russe d'émotions. Allo! Quelqu'un? Je suis tannée d'être dans le manège! Arrêtez-le! Tantôt, ça va trop vite. Tantôt, ça grimpe trop lentement! Il y a quelque chose qui gronde en moi, en plus. Comme un écœurement total de ne pas me sentir en contrôle, de ne pas me sentir moi, de me chercher, de me trouver et de me perdre à nouveau...

Catastrophe! Et ce n'est pas mes yeux ou mon maquillage (l'option choisie, finalement) qui auraient pu changer quoi que ce soit. Je suis tombée dans la pire nouvelle école de toutes. Sérieux! Je n'aurais pas pu me fondre dans une gigantesque polyvalente? Dans une école de genre au moins 1000 élèves? Quelque chose de gros avec trois ou quatre pavillons? Je serais passée inaperçue, dans un décor comme cela… Personne n'aurait remarqué que j'étais là. Personne n'aurait su que j'étais LA nouvelle. À la fort populeuse école Saint-Anges, j'ai fait tourner les têtes et délier les langues comme si je m'étais présentée en classe avec une perruque rouge frisée tel un clown. Sérieux, même avec cet accoutrement, l'effet n'aurait pas été pire. Et j'ai eu la surprise du siècle. Félix avait des amis. Un tas d'amis. Tout le monde semblait le connaître. J'ai pu analyser le tout durant le dîner. Seule à une table de la cafétéria, j'avais tout mon temps pour l'observer de loin, en faisant semblant de lire un livre (subtile, quand même !). Félix m'a tout de même fait un petit sourire en hochant timidement de la tête. Venant de lui, c'est comme s'il avait hurlé « ALLO FRED ! » dans un haut-parleur ! J'ai souri en retour. Puis j'ai remarqué que quatre filles juste derrière moi se sont esclaffées. Elles ont ri et marmonné en me fixant intensément. Je me suis sentie gênée. Peut-être que Félix leur adressait ce signe-là à elles et non à moi ! J'ai replongé la tête dans mon livre jusqu'à ce que la cloche sonne. Mais j'ai bien pu remarquer que Félix est un véritable aimant. Tout le monde lui tourne autour. Et lui ? À moitié le solitaire réservé et peu expressif, à moitié le gars souriant que j'ai connu avec Rosalie… Je n'en revenais pas…

Ma journée a été épouvantable. Pire que tout ce que j'avais imaginé. J'ai eu mal au cœur toute la journée. Durant tous mes cours, j'ai eu la nausée. L'école compte très exactement 446 étudiants. Wow ! Un peu plus et nous n'étions pas assez pour une partie de football (j'exagère si peu !). Et puisque je ne me compte pas, ni Félix ni Sarah, il y a eu 886 yeux rivés sur moi. Plus ceux des professeurs ! Et ceux-ci, animés d'une curiosité enthousiaste — c'est à croire qu'il n'arrive jamais de nouvel étudiant dans cette école —, m'ont demandé tour à tour de me présenter et de leur dire d'où je venais. J'ai donc répété brièvement cinq fois un petit discours sur moi. J'étais tellement gênée. Quoi dire pour me décrire ? Au dernier cours, je n'en pouvais tellement plus que j'ai juste dit « Je viens d'une ville à 864 kilomètres d'ici et je m'appelle Frédérique ». Non, mais ça suffit, le supplice. J'avais envie de pleurer. J'avais envie de me jeter sur mon divan rose. J'avais envie d'aller à la rivière pour calmer mon cœur.

J'imagine que j'ai été transparente dans cette dernière déclaration, car en sortant du cours, Sarah m'a attrapée par le bras.

— Je n'osais pas trop aller te voir ce matin. Je ne savais pas si tu voulais que je te présente à mes amies ou non. J'aurais dû le faire. Désolée.

— Ah! C'est correct!

J'ai dit cela, mais je ne me croyais pas moi-même. La vérité est que ça n'allait pas du tout. Pas. Du. Tout.

Je me sens seule. Je me sens exami-née. Scrutée. Analysée. Pour tout le monde dans cette école, je suis LA nou-velle. LA fille qui habite au bout du rang. LA fille qui vient de la ville. Hein! Ça, ça a l'air de les déranger au plus haut point. Venir de la ville, c'est pas une tare.

Ce n'est pas honteux. Selon moi, ce serait plus à eux de rougir. Pas à moi. Mais, j'ai rougi pareil.

Parce qu'on a beau dire ce qu'on voudra, je suis l'exclue et eux forment un tout. Au sein duquel, je ne suis pas la bienvenue. Je l'ai senti.

J'ai tout écrit à Rosie en revenant de l'école. Tout cela. Comment je me suis sentie comme un éléphant dans un troupeau de fourmis. Je n'aurais pas été aussi visible ! Comment les autres me regardaient de travers. Comment juste être moi semblait les déranger. Tout cela... sauf un petit bout. Je ne lui ai pas dit que sur le chemin du retour, j'ai été escortée par Sarah et Félix. Bon, Félix marchait un peu derrière nous, mais quand même. Sarah ne m'a pas lâchée d'une semelle. Elle m'a promis que dès le lendemain, elle me présenterait officiellement à ses amies et que je ne devais pas trop m'en faire avec ceux qui jacassent.

— Ils ne savent pas quoi faire de leur peau, c'est tout !

Je n'ai pas très bien saisi ce qu'elle voulait dire, mais bon ! Je me demande si Sarah fait cela pour moi juste dans le but de passer pour la fille gentille. Le genre qui « sauve » les autres pour en retirer quelque chose. C'est probablement cela...

J'ai cliqué sur « Envoyer » et je suis partie à la rivière avec mes perles sous le bras. J'avais trouvé une vieille mallette tout usée dans la garde-robe de ma mère. Je l'ai prise et ai tout mis mon butin dedans.

Je n'ai pas vu le temps passer. J'ai terminé deux colliers bien spéciaux : un tout bleuté et l'autre noir entrecoupé de pierres jaunes. Quand ma mère est venue me rejoindre sur ma roche, j'ai d'abord sursauté. Je ne l'avais même pas entendue venir. Est-ce que je deviens sourde ? D'abord, Félix, puis Sarah, et là, ma mère !

Je n'entends plus rien ou je me coupe trop du monde ? Beaucoup trop de questions dans ma tête, en tout cas !

— Tu viens souper, Frédou ?

— Hum humm !

— Ils sont magnifiques ces colliers. Je suis contente que tu aies trouvé quelque chose à faire. Tu semblais si loin dernièrement. Loin de toi... de moi... d'ici !

Je n'ai rien répondu. D'abord, ce n'était même pas une question. Et puis, je pense que j'ai perdu mon bouclier. Oui, celui que je portais toujours depuis notre arrivée ici (en fait, depuis l'annonce officielle de notre départ !). J'avais envie d'arrêter d'être constamment fâchée. Arrêter surtout de lutter contre l'envie d'être heureuse même si ce n'est pas le mois de septembre dont j'avais rêvé. Même si mes plans ont changé.

Coïncidence ? Hasard ? Destin ? Providence ? Forces magiques ? Rosalie avait répondu à mon courriel. Une seule phrase. « **Rentre tes épines, la rose ! Arrête de te punir toi-même !** »

Elle a lu dans mes pensées ? Même loin de 864 kilomètres ? Ça ne se peut presque pas… Ça fait un peu peur ! Rosie me connaît… Ma mère aussi… pourquoi moi, je me perds ?

Le reste de la semaine s'est quand même mieux déroulé. Parce que j'ai arrêté de me punir ? Je ne sais pas… Parce que j'ai décidé que j'allais me donner une chance ? Peut-être…

Tous les matins et tous les soirs, j'ai marché avec Sarah. Félix étirait souvent le temps à la rivière et nous dépassait à vélo à la dernière minute. Elle m'a présentée à tous ses amis et je n'ai jamais dîné seule à nouveau. Je ne peux pas dire que j'ai vraiment envie d'avoir plein de nouveaux amis. Mais ne plus être seule, c'est déjà un bon début ! Aussi, je n'ai même plus entendu de remarques sur le fait que je venais de la « ville ». Ou je ne les entendais plus. Sérieux, je pense que parfois on retient bien ce qu'on veut. Là, le négatif, je le laisse rebondir sur moi et ne garde que les choses qui me font du bien.

Et ce qui me fait du bien, c'est de créer des bijoux. Chaque soir, je suis allée à la rivière avec ma mallette. Parfois, je savais que Sarah était là dans sa cachette, mais je comprenais aussi qu'elle avait besoin d'y être en solo. D'autres fois, je voyais Félix sur l'autre rive, les yeux perdus devant lui, sa canne à pêche posée à côté de lui, son pied dessus pour qu'elle ne tombe pas. D'autres fois, en train de lire, tout simplement. On a nos trois bulles.

J'ai écrit à Rosalie aussi. Elle va être pas mal fière de moi, je pense. On dirait que je me suis donné une chance. Un coupon « bonheur ». Comme si la vie était un jeu et que j'avais gagné une carte qui me disait soit : « Arrête de te punir », « Fonce », ou « Sois donc heureuse ».

En faisant des bijoux, on dirait que je rassemble toutes les perles dans ma vie et essaie de les agencer aussi... En les enfilant une à une, dans un ordre qui n'est jamais le même, je me crée... une vie, un moi, une nouvelle vie, une nouvelle moi ?

Aujourd'hui, c'est vendredi et il y a — il paraît — toujours une fête au village pour célébrer la fin de l'été et entamer du bon pied la rentrée des classes. N'importe quelle occasion finalement ! Mais ça me plaît bien finalement... parce que j'ai le cœur plus léger depuis deux jours et que je n'ai pas envie que ça arrête. Même qu'hier, j'ai senti quelque chose. Là, là, au fond de moi. Une espèce de chatouille-ment sur le bord de mon plexus solaire. Un frétillement sur les rives de mon cœur. Un petit « pop » dans mon estomac, un papillon maladroit qui heurtait les parois. Quand ces accidents sont-ils arrivés ? Hier matin, je me suis levée tôt. Ça doit faire partie de ma nouvelle moi. Je suis allée faire un tour dehors. J'ai enfilé un gros chandail, mon veston en jeans, et j'ai enrubanné mon cou de mon foulard mauve étoilé. C'était la première fois que je le remettais depuis… Théo. Mais ça ne me faisait plus mal. Pas trop, en tout cas ! Et j'ai vu Félix. Il m'a fait signe de venir le rejoindre. Sérieux, j'étais étonnée de son signe. Beaucoup, même ! J'ai même regardé derrière moi s'il ne parlait pas à quelqu'un d'autre. Le rejoindre ? Lui ? Sur sa roche ? Dans sa bulle ? Je n'aurais pas osé y aller s'il ne m'avait pas fait un geste. Même si j'ai passé toute la semaine à observer (et à noter, je l'avoue!) ses allées et venues. Finalement, je me suis assise à côté de lui. On ne s'est rien dit ou presque. Quelques banalités sur la fraîcheur de l'air. Mais juste de l'entendre respirer fortement à côté de moi a réveillé un vent nouveau. J'avais à peu près 10 000 mots et autant de questions qui se bousculaient dans ma bouche. Je me suis retenue pour ne pas les laisser sortir. Je ne voulais pas briser la magie.

— C'est cool que tu fasses des colliers. Tu pourrais même peindre des cailloux et les agencer avec des fils métalliques.

Ayoye! Un gars qui a des idées sur des colliers. Une bonne idée en plus! Je capotais. Il ne m'en a pas fallu plus pour que je m'emballe et que durant toute la journée, à l'école, je pense à la nouvelle mode que je pourrai créer avec ces colliers mi-nature mi-fausses perles. Peindre des roches et tortillonner du fil pour les faire tenir ensemble ? C'est l'idée du jour, de la semaine, du mois, de l'année, du siècle ! Je n'ai pas arrêté de caresser mon collier d'amitié. Le soir, j'ai écrit un courriel de quatre pages à Rosalie, Emma et Zoé. Je voulais qu'elles sachent toutes les trois que j'allais avoir un nouveau projet. Qu'elles pouvaient arrêter de s'inquiéter pour moi. Surtout Rosie. Je sentais des ailes me pousser dans le dos. Enfin !

Mais là, j'avais 20 000 mots qui voulaient débouler jusqu'à Félix. Il n'était peut-être pas si différent, finalement. Surtout que Rosie avait répondu à mon courriel par un message inversement proportionnel à la longueur du mien. « **Vas-y ! Fonce !** »

Euhh ? Elle voulait dire quoi ? Foncer dans mon projet de collier ou vers Félix ? Ça m'a mélangée. Un peu. Beaucoup.

Passionnément. Mais j'ai souri et j'ai rangé mes épines.

J'étais trop bien. Trop bien. Beaucoup trop, même. Je paie pour. La fête au village n'est même pas terminée et moi, je suis déjà de retour sur mon divan rose. Et j'ai envie de prendre racine dans lui et ne plus jamais bouger d'ici. J.A.M.A.I.S.

J'aurais dû m'en douter : chaque fois que ça va bien, quelque chose me tombe dessus. Là, je suis partie à la fête avec des ailes en pensant à mon projet de colliers, à Félix que je trouvais de plus en plus beau (même s'il n'avait pas changé) et au fait que j'avais envie de me faire des amis, pour vrai. Je me sentais légère. Prête à m'envoler. À me laisser porter par le vent. De suivre ses détours et mes impulsions.

PAF ! D'un coup, on m'a arraché mes nouvelles ailes, tantôt à la fête. Scratch !

Fini, il n'y en a plus. Je ne me rappelle pas comment a commencé la conversation qui a mené à la dissection de mes ailes. Mais je sais qu'autour du gros feu de joie, on s'est retrouvés une trentaine de jeunes de l'école. J'étais bien. Félix et Sarah n'étaient pas loin. Mais je sentais que j'avais une place et que je pouvais me débrouiller sans eux. Voler toute seule. Puis, tout à coup sont apparues devant moi quatre filles. La même gang qui m'avait observée avec mépris la première journée d'école.

— Tu te penses plus fine que les autres, hein ?

— Ouin, parce que tu viens de la ville ?

— Ou parce que tu fais des colliers archi nuls ?

— Ils sont tellement poches !

— Ou parce que tu penses faire vibrer le cœur de Félix ?

— Tu sauras que sa sœur ne sera pas toujours là pour toi. Sarah ne garde jamais ses amies longtemps… Et Félix ne s'intéresse pas à des filles comme toi.

— Et…

Elles n'auraient pas arrêté si je ne m'étais pas levée, je crois. Elles sont venues me murmurer cela à moins de 10 centimètres du visage en gardant un air joyeux pour ne pas que les autres se doutent de ce qu'elles faisaient, déjà que la musique enterrait beaucoup les conversations.

Les larmes me sont évidemment montées aux yeux. Dans un mouvement de surprise et aussi, peut-être, pour me protéger, j'ai mis la main sur mon collier. Elles n'avaient pas le droit de m'attaquer ainsi. Je ne leur avais rien fait, moi ! En même temps qu'elles arrachaient mes rêves et ma nouvelle chance, j'ai senti une pointe de méchanceté naître sur le bout de ma langue. Elles allaient voir à qui elles se frottaient. Elles n'avaient pas le droit de briser ma fragile chance…

Puis comme dans un film, j'ai senti une main sur mon épaule qui a coupé mon élan pour cracher ma réplique.

— Viens, Frédérique ! Laisse-les parler.

C'était Félix. Venu me sauver des griffes des louves. Venu m'épargner leur discours plate. Venu me secourir. Venu m'empêcher de dire des vacheries. Venu m'empêcher de devenir comme elles. De tomber dans leur panneau.

— Viens, je te dis. Elles ne méritent même pas qu'on leur parle.

J'étais bleue. Marine. Foncé. J'étais tellement en colère. J'aurais aimé leur dire leurs quatre vérités. Leur dire qu'elles se trompaient, sur moi, sur Sarah, sur Félix, etc. Leur montrer que mes colliers étaient tout sauf nuls. Tout, sauf laids et sans « vie ». J'aurais voulu leur crier tout cela. Parce que ça faisait trop longtemps que je me retenais, que je me cachais derrière une autre Fred

qui hésitait trop. La vraie Fred, elle ose !
Elle fonce ! Et elle ne se laisse pas abattre.

Mais j'ai quand même suivi Félix qui
a attrapé Sarah par le bras et nous a
entraînées toutes les deux sur le chemin
du retour.

J'étais furieuse. Contre lui aussi ! De
quoi il se mêle ? Pourquoi il ne veut pas
que je me défende ? J'ai besoin de leur
prouver à ces arracheuses d'ailes qu'elles
ont tort.

— T'aurais dû me laisser leur parler !
Je ne me serais pas laissé faire, crois-
moi ! Je vais leur dire la semaine pro-
chaine. C'est fini le temps où je me cache !
Vous allez voir la vraie de vraie
Frédérique.

— Ça te donnerait quoi ?

— Ben voyons ! Je ne me renierais
pas… On ne peut pas juste rien dire et
recevoir un tas de bêtises. Voyons !

— Et ça va changer quoi de t'obstiner avec elles ?

— Je ne veux pas leur donner raison. Tu ne comprends pas ? Ah pis vous ne me connaissez tellement pas. Vous ne connaissez pas plus la vie que moi, là...

Je suis entrée à la maison et suis venue sur le divan. C'est là que j'en suis. Je suis fâchée contre tout le monde encore. Ma grosse boule de colère est remontée. Elle a envahi toute la place. Et plus moyen qu'elle rebondisse. Elle se déverse en moi !

Renfrognée sur mon divan, je n'avais même pas vu qu'une petite note traînait sur mon lit. Catastrophe !!!!! En me levant, je me suis cognée sur ma mallette qui était mal fermée et qui contenait un petit boîtier avec les perles et les pierres choisies pour mon prochain collier. Tout a explosé sur le plancher de ma chambre. J'ai vu les dizaines de billes rebondir légèrement en frappant le sol et se disperser un peu partout : sous le divan, entre les coussins, sous mon lit, sous mon bureau, ma commode, dans mes souliers, etc.

J'ai fermé les yeux très fort pour bloquer les larmes. Je ne veux pas recommencer. Mais quand même, tout va tellement mal. Et tout allait si bien. Pourquoi ?

J'ai attrapé quand même la petite note de ma mère. « **Va où ton cœur te porte.** »

Je suis partie à la rivière. Tant pis pour les billes partout sur le plancher.

6

Le travail de la rivière

Il fait noir, mais je vois quand même. Plus encore, je l'ai senti avant même que mes yeux le perçoivent. Félix. J'ai eu à peine le temps de m'asseoir que j'ai senti une chaleur dans mon cou. Pourtant, il ne me touchait pas. Il était sur sa roche à lui. Mais son regard devait pointer ma nuque et c'est pour cela que j'ai senti qu'il était là.

Il était là. Moi aussi. Chacun de notre côté. Mais ensemble, à la fois. On ne s'est pas parlé. Rien. Je suis restée 15 minutes toute seule à rassembler mes idées, puis je suis rentrée. Il n'y avait rien à dire. Tout à faire.

Avant de me coucher, j'ai ramassé mon dégât comme si je rassemblais des morceaux de moi éparpillés partout. Fred en ville, Fred avec Rosalie, Fred avec Emma ou Zoé, Fred qui a laissé Théo, Fred qui est partie, Fred qui hésite à se faire des amis, Fred qui bougonne, Fred qui essaie d'être en chicane avec sa mère pour lui faire payer le déménagement, Fred qui n'aime pas les disputes, Fred qui a envie de croire, Fred qui veut parler, Fred qui a peur du silence, Fred qui apprend la patience, Fred plus calme, Fred qui connaît mieux Sarah et sa peur d'avoir mal si une amie repart, Fred qui n'est pas indifférente à Félix, Fred qui ne sait plus grand-chose… Je me cherche, je me trouve ou je me perds ?

Je ramasse des billes et pourtant j'ai l'impression de ramasser ma vie éclatée. Comme si, mises ensemble, les billes formaient un tout — moi —, mais que séparées, elles ne sont rien. À moi de voir s'il y a un meilleur arrangement à faire. Y a-t-il des billes superflues dans mon existence ? Des billes que je ne veux plus ? Je ne sais pas.

Quelque chose s'est brisé ce soir à la fête. Mais en même temps, un autre lien s'est noué. Une grande chaîne en mouvance, finalement. Comme un collier.

Pendant les trois jours qui ont suivi, j'ai beaucoup pensé et analysé. Créé et écrit. Mais surtout, j'ai peu parlé. Pas vraiment par choix, ou parce que je n'en avais pas envie, plutôt parce que Félix n'était pas là, ni Sarah. La non-présence de Félix me perturbait plus que celle de Sarah. Quand je pensais à lui, j'imaginais ses yeux rivés sur mon cou et un éclair de chaleur me transperçait la peau. J'étais même obligée de me masser doucement la nuque pour dissiper mon malaise. Son regard me hante. Profond, intense, soutenant et muet. OK, un regard ne parle jamais, mais je veux dire qu'il n'a pas besoin de coller des mots à ce qu'il transmet par ses yeux.

Bref, la rivière était déserte. J'ai eu tout mon temps pour réfléchir. J'ai reconstruit mon projet. Je sentais mes ailes repousser. Mon idée était simple et facilement réalisable tout en étant totalement nouvelle : j'allais d'abord peindre des cailloux puis, en les mélangeant avec des perles et d'autres billes, je réaliserais des bijoux spectaculaires. Peut-être même que je pourrais en vendre ? Demander à Charles-Éric — à distance — de créer un site Web pour moi ? Trouver des boutiques de la région qui souhaiteraient les proposer ? C'est sûr que Rosalie voudrait elle aussi en vendre de son côté, en ville. Je pourrais peut-être devenir célèbre ? Une ado entrepreneure ? Peut-être même un peu riche ? Pourquoi pas ? C'est si bon de rêver !

Et puis, ce n'était pas un rêve, c'était un chantier ! Un projet que j'allais faire. Plus j'y pensais, plus je trouvais que c'était une ex-cel-len-te idée. Mes ailes avaient repris du service. Surtout, j'avais réussi en même temps à chasser de mon esprit les quatre filles. Je n'allais pas m'occuper d'elles et de leurs ragots idiots. J'allais continuer à être moi. La même Fred, à la ville comme à la rivière. Et tant pis pour ceux que ça dérange ! Sérieux, c'était trop top de me sentir... moi ! Vivante ! Animée ! Que je ne vois pas une de ces chipies vouloir gâcher mon plaisir !

Lundi — congé de la fête du Travail —, Félix est revenu dans les parages. Il m'impressionnera toujours, lui et son calme déconcertant. En tout cas, il n'est pas comme Théo. Lui, il vivait à 150 km/h. Mais Félix a l'air tellement calme, presque distant même, je n'en reviens pas. Des fois, je me dis qu'il passe à côté de sa vie. Il la regarde, mais n'embarque pas dedans. Il reste un pied dans son monde et l'autre dans la réalité. En tout cas, je ne comprends pas pourquoi il veut que je l'imite. Je n'ai pas envie de passer à côté de la mienne. Il n'en est pas question. Pas du tout, même ! Moi, j'ai envie de mordre dedans comme un vampire frissonne à la vue d'un cou.

Quand je l'ai vu sur sa roche, lundi matin, je n'ai pas osé aller le voir tout de suite. Je me suis assise là, en indien sur mon rocher créatif — un genre de divan ultra dur et pas très confortable, mais j'avais envie de l'air frais des premiers jours d'automne — avec six petits pots de peinture et des pinceaux. Devant moi, il y avait une ribambelle de cailloux colorés qui faisaient face à d'autres, semblables, encore ternes et sans couleurs. Mes ailes commençaient à battre doucement. Je décollais. Mon projet prenait forme ! Je laissais Félix à son tête-à-tête vec les poissons et moi à mes cailloux. 'emps en temps, je levais la tête furtivement pour l'observer rapido. D'autres fois, j'aurais juré que lorsque je levais les yeux, je le voyais détourner le regard en moins d'un quart de seconde. Et puis quelques fois, nos regards se sont croisés comme deux rayons. Chaque fois, on a semblé un peu gênés, moi encore plus que lui. On est restés ainsi pendant près de deux heures et finalement, c'est lui qui est venu me rejoindre. Quand il s'est approché, il avait l'air un peu hésitant. Timide. Sérieux, c'est rare. Pour une fois, je sentais qu'il était moins sûr de lui et qu'il m'ouvrait une porte vers une vraie discussion. J'étais terriblement heureuse.

— Qu'est-ce que tu fais ?

— Je suis ton idée des cailloux. Regarde, j'en ai peinturé plus d'une vingtaine. Il m'en reste encore beaucoup...

— Mais qu'est-ce que tu vas faire avec tous ces cailloux, je veux dire ?

— Beeeeennn ! Des colliers, Félix !
Voyons, c'est toi qui m'as suggéré cela ?

— Tu vas en faire vraiment beaucoup…

Il a écarquillé ses yeux comme si
j'avais dit une énormité ou quelque chose
de vraiment farfelu. Voyons ! Il faut tout
lui expliquer ou quoi ?

— Justement. J'ai eu des méga idées
pour mes bijoux. Je vais en faire plusieurs d'abord et ensuite, je vais proposer à des boutiques du coin d'en vendre.
Ma mère va sûrement connaître plein
de gens intéressés. Et elle va être contente
de m'aider. Elle me doit bien cela, en
fait. Et il y a Rosalie… Tu ne connais
qu'une infime partie d'elle, mais sûrement assez pour voir qu'elle va embar-
quer dans mon projet de bijoux. Tu sais
quoi ? Je pense que j'ai déjà trouvé un
nom pour ma collection de bijoux : Les
fils de Fred. C'est beau, non ?

Je ne lui ai même pas donné le temps de me répondre, j'étais sur ma lancée. J'avais des ailes et je comptais bien continuer à voler. Et en plus, j'avais une oreille pour m'écouter. Pas juste un écran d'ordi avec qui jaser. Je retrouvais un peu la même chose que lorsque je racontais mes projets à Théo. De petites ailes poussaient même sur mon cœur, je crois...

— Et puis, je pourrais avoir un site Web pour présenter tous les colliers, les bracelets et les bagues. Je t'ai dit que je voulais faire des bagues, aussi ? J'aime les bagues. Ça donne du style à nos mains, ça habille nos doigts. On écrit mieux ! Des fois, je pense même que ça attire les bonnes idées. Un « aimant »... ouiiiii ! C'est cela ! Je veux que tout le monde connaisse mes bijoux. Je pense que Les fils de Fred pourraient avoir un vrai et gros succès. J'ai des milliers d'idées tout à coup. J'aime donc cela... Je vais peut-être avoir des tas de commandes. Je pourrais même offrir aux gens de fabriquer des bijoux personnalisés selon ce qu'ils aiment. Ou peut-être qu'un amoureux va venir me voir un jour pour que je crée un collier spécial pour sa blonde en me la décrivant doucement ou en me disant quel message il veut lui envoyer. Moi, j'aurais à peindre des clins d'œil sur les cailloux pour que l'autre saisisse le message. Sérieux, ce serait teeeeellement romantique! Les gens se parleront à travers mes créations. Et moi, je vais être tellement occupée et heureuse de faire tout cela. Je n'aurai plus le temps d'être triste parce que je suis loin de mes amies... Non, plus de temps pour être la Fred fâchée contre l'univers. Ce n'est pas moi, de toute façon... Moi, je suis Frédérique toujours pleine d'idées et de projets.

— Je vois cela...

Il y avait un nœud dans le timbre de sa voix. Une intonation étrange qui m'a un peu refroidie. Calmée.

— Qu'est-ce que tu veux dire ? Tu n'as pas l'air heureux que je sois contente ? Quoi, je n'ai pas le droit d'avoir un projet ? De le vivre ? De vivre simplement ? D'y croire ? C'est comme cela que j'étais avant de déménager ici, tu sauras ! J'étais toujours sur une patte, toujours en train de faire quelque chose, pas juste là à regarder le train passer. Moi, j'embarque dans le train. Je suis le cours de la rivière. On peut pas arrêter cela...

— Bien oui tu as le droit... C'est que...

— Que quoi ? Tu as envie de couper mes ailes toi aussi ? Il faudrait qu'on soit tous dans le même moule que toi ou que ta sœur ? Vous deux, là, vous avez peur. C'est cela, hein ? Vous avez peur des gens. Vous ne voulez pas vous attacher ou quoi ? Vous avez peur de profiter de la vie et vous voudriez que je sois pareille.

— Je n'ai pas peur…

— Oui t'as peur !!! Pourquoi tu fuis le monde d'abord ? Tu as plein d'amis à l'école, pourquoi tu n'es pas avec eux le soir ? C'est pas normal, cela.

— Toi, tu t'étourdis pour ne pas être seule, pour ne pas être avec toi, Fred. Ce n'est pas plus normal, crois-moi…

— Tu n'en sais rien ! Moi j'ai besoin de projets pour triper. Pour me sentir vivante. Pour me sentir moi.

— T'as besoin que les autres voient que tu es vivante comme pour te prouver que tu existes. Ce n'est pas la même chose. Mais ton cœur n'est pas plus léger que le mien.

— Il va très bien mon cœur. Très bien merci ! Le tien, là, et celui de ta sœur aussi, ils sont juste des peureux. Toi, comme elle, vous ne voulez pas vous attacher. Les gens autour de nous partent, viennent et repartent un jour. Ouin, pis ? Je ne peux pas m'empêcher de m'attacher quand même. Même si je sais que ça peut tout partir un jour.

En disant cela, j'ai senti un grand frisson tourbillonner autour de ma colonne vertébrale. Mais j'ai aussi senti se briser mes ailes sur mon cœur et celles sur mon dos se sont froissées aussi.

— Tu peux t'étourdir, penser vivre plus intensément parce que tu es occupée, mais ça ne veut pas dire du tout que je vis moins que toi. Vivre, ça ne se mesure pas, tu sauras…

— Peut-être…

J'ai dit cela, mais je n'étais pas du tout certaine. Je tremblotais à l'intérieur de moi et avant que je fasse un autre dégât, j'ai commencé à ramasser mes trucs.

— Tu vois, tu fuis toi aussi. Tu as peur, toi aussi. Autrement, tu resterais.

— Pas du tout, c'est juste que c'est l'heure de rentrer. Voilà tout. Pense pas que tu peux me deviner, Félix !

Oh que je n'étais pas convaincante! Et il fallait en plus que je contrôle ma voix pour ne pas laisser sortir un trémolo. Mes yeux me piquaient, mais je ne voulais pas pleurer.

— En tout cas, moi je te trouve belle quand t'es calme et en paix. Pas quand t'es un océan en furie. Un tsunami d'idées et d'émotions trop mêlées.

Euhhh? C'était quoi cette dernière phrase? Trop étonnée, je n'ai rien répliqué du tout et je suis partie sans même me retourner. J'étais tellement choquée. Je croyais avoir trouvé en lui un confident. Un ami, bien sûr, peut-être même plus que cela et il venait de bousiller toutes mes idées.

Cœur lourd

Eh oui, j'ai pleuré! Mais pas long-temps. J'ai essuyé rudement mes yeux avec la manche de ma veste. Je suis entrée dans la maison en traînant mes déceptions et ma colère. J'ai monté les marches en martelant le plancher. Ma frustration se traduit dans mes pas lourds et mes souliers qui claquent. J'ai bou-sillé la tranquillité de ma mère qui lisait dans le fauteuil. Elle s'approche et ouvre la bouche, mais je lui fais signe d'arrê-ter. Elle recule d'un pas en faisant sem-blant de mettre une fermeture éclair sur sa bouche. Tant mieux! Je ne veux pas parler! Je veux retourner en ville. Je ne suis pas faite pour le bois et la nature grand format.

Dans ma chambre, j'ai boudé sur mon divan. Sérieux, j'ai croisé les bras sur ma poitrine, j'ai froncé les sourcils et j'ai même fait la baboune, la lèvre inférieure rebondie. Comme un bébé lala! Je me sens incomprise. Je me sens nulle. Je me sens à terre, bien loin de mon vol dans le ciel plein de promesses de tantôt. Je suis tannée de m'approcher de Félix prudemment pendant des jours, de recevoir un microscopique signe de lui, d'attendre encore pour ne pas le bousculer, de sentir des ailes amoureuses naître sur mon cœur, de ne pas y croire, puis d'y croire un peu, de lui laisser de la place, puis un jour de m'ouvrir et de me faire rabrouer ainsi. C'est rock'n'roll, son truc!

Ma mère est venue cogner à la porte. Elle veut parler. Je n'ai pas le goût. «Je veux être toute seule», que j'ai balancé. Même son petit «Fred» à demi plaintif à demi moralisateur, je le soupçonnais de vouloir me dire de me considérer chanceuse d'avoir des amis et d'en profiter au lieu de bouder. 1) Je ne boude pas. 2) J'ai vraiment des amis? Des vrais?

Je n'avais envie d'expliquer ni l'un ni l'autre.

Sauf que même si ma bouche a vraiment laissé échapper mon hymne à mon isolement, mon cœur, lui, aurait envie de se faire bercer par ma mère. Je ne peux pas la tenir à distance constamment... je m'ennuie! Je ne suis pas si sûre de moi... Mais en même temps, je veux juste me trouver des souliers confortables, les miens, dans lesquels marcher dans ma nouvelle vie.

— Tiens, Fred!

Ma mère glisse une petite lettre sous la porte. Un billet écrit à la sauvette probablement après m'avoir vue gravir les marches comme une enragée.

«Laisse-toi une chance! Tu penses te protéger, ma poulette, en tenant tout

le monde loin de toi, mais je crois que tu te fais plus mal encore... Je le sais ! Je suis souvent comme toi. Mais s'ouvrir vers les autres, ça peut nous faire du bien ! »

« Je ne suis pas comme toi ! Je ne veux pas être comme toi ! » C'est ce que j'aurais envie de hurler. Je ne veux pas faire comme ma mère et ne pas avoir un amoureux, ne pas vivre avec le père de ma fille, je ne veux pas me déraciner à des kilomètres de mon premier nid pour aller voir si j'existe ailleurs.

Ohhhhh ! Et pourquoi je suis dans une montagne russe tout le temps ? Parfois, je touche les étoiles du bout des doigts, puis pouf, je retombe au sol. Pire : dans un trou. Enfoncée dans le sol et pas capable de me hisser hors du trou.

Pour m'aider à remonter la pente, je décide donc de parler à Rosie via ma caméra Web. Mieux qu'un courriel et même le téléphone! Elle sera meilleure que ma mère pour me comprendre! J'ai ultra besoin d'une oreille attentive pour m'écouter. J'ai mis le portable sur le divan et me suis installée juste à côté, ainsi Rosalie et moi étions toutes les deux sur le divan rose comme avant... ou presque!

— Ça tombe bien que tu veuilles me raconter cela...

— Pourquoi? Tu as besoin de te changer les idées?

— Ouin, disons! Allez, vas-y!

Sérieux, je n'ai pas trop saisi ce qu'elle voulait dire, mais je lui ai raconté toute notre conversation. Elle a écouté religieusement. Comme si elle était une spécialiste des cœurs bafoués, des histoires d'amour compliquées ou des flirts secrets. Elle n'a pas dit un mot. Un peu plus et je croyais qu'elle prenait des notes, surtout que je ne lui voyais que le visage et pas les mains. Se pratique-t-elle pour devenir la confidente des amoureux éplorés ou l'analyste des cœurs en mauvais état ? J'ai eu à peine le temps de lui dire qu'il me trouvait belle quand j'étais calme que Rosalie a souri. Un sourire un peu épais sur les bords, l'air de dire « Allume, Fred !! Allume ! »

— Ben quoi ? C'est ce qu'il a dit !

— Allume, Fred !

Trop top ! J'avais décortiqué correctement son sourire ! Je suis une liseuse de sourires !

— Allume… quoi ?

— C'est de l'amoooooouuuuuuuur !

Elle a tellement hurlé fort que j'ai mis le coussin sur l'ordi pour étouffer son cri.

— Voyons ! T'as pas écouté ou quoi ? Il n'a pas arrêté de briser mes rêves et de dire exactement le contraire de moi, juste pour m'énerver, probablement. Et c'est pas mal réussi. Il trouve mes idées poches ! Tu ne m'as vraiment pas écoutée Rosie pour me dire une chose comme cela.

— Depuis quand Fred que c'est toi la spécialiste des cœurs, hein ? Laisse cela à une pro ! C'est de l'amour, je suis prête à gager n'importe quoi ! Je te le jure que c'est cela ! C'est juste trop évident ! Allume !!

— Non ! Je ne te crois pas.

Rosalie perd la boule ou quoi ? Sérieux, elle ne fait que répéter que c'est de l'amour. Elle voit des signes où il n'y en a pas. Des hallucinations, probablement !

— T'as la tête dure comme de la roche, Fred ! Pourvu que ton cœur ne soit pas ainsi quand tu verras Félix demain...

— Je ne le verrai pas demain...

— Tantôt d'abord ?

Je sentais qu'elle se moquait un peu de moi. Il y avait un éclair taquin dans ses yeux. Tantôt ? Autant mourir ! Je vais passer la journée dans la maison. Pas question d'aller traîner à la rivière. Tiens !

Je vais même fermer les rideaux pour ne pas être tentée d'aller voir s'il est là ou plutôt pour qu'il voit que je n'ai pas envie de le voir...

— Fred, t'es partie où, là ? Fred ?

— J'arrive ! J'ai ouvert un peu la fenêtre et j'ai fermé les rideaux ! Le coucher du soleil est trop puissant. Je suis aveuglée...

— Freeeeeeeed ! Tu boudes ?? Tu boudes, vraiment ? Franchement !

— Franchement toi-même ! Tu es en train de voir des signes d'amour dans n'importe quoi...

— C'est n'importe quoi pour toi un gars qui te dit « T'es belle... » ? Ça ne te fait rien d'entendre cela ?

Là, elle ne riait plus du tout mon amie. Non ! Je déchiffre dans sa mimique un je-ne-sais-quoi de triste ou même de fâché. Je me plains le ventre plein. C'est ce qu'elle a l'air de penser. Et moi, je ne sais pas quoi répondre.

— …

— …

— OK ! T'as peut-être un peu raison. Mais ce n'est pas de l'amour-amour ! C'est juste…

— De l'amour… tout court ! Quand même !

— Arrête ! Tu en vois partout de l'amour toi dans les plus minuscules gestes. Je pense que tu pourrais lire de l'amour dans le battement de cils d'une fille, l'odeur du vent ou le haussement d'un sourcil d'un gars…

— Tu peux rire, Fred ! Moque-toi ! Moi, je t'avertis juste de ne pas barricader ton cœur tout de suite. Je te le dis, moi ! Garde ton cœur encore un peu mou comme une guimauve juste au-dessus d'un feu ! Un cœur de pierre, ça se brise. Une guimauve qui dégouline juste un peu, c'est malléable sans risque de cassure…

Rosalie m'a adressé un grand sourire très fier. Je l'ai aussitôt imitée. Du coup, j'ai senti que le lien entre elle et moi était toujours là, toujours aussi fort. Je suis chanceuse de l'avoir dans ma vie même à 864 kilomètres de moi. Et j'ai eu une pensée pour Sarah : peut-être qu'elle et son amie pourraient se parler virtuellement aussi. Je lui proposerai… Ce tourbillon chaud m'a donné une idée.

— Au fait, quand est-ce que tu reviens ici ?

— Faudra que j'en parle à ma mère, mais en octobre peut-être. Pour pouvoir profiter de la rivière encore… Qu'en dis-tu ? Je te gage que d'ici là, tu vas partager ton divan-roche avec le beau Félix…

— Rosie, t'es épouvantable !

On a éclaté de rire dans une symbiose d'amitié presque parfaite ! Une harmonie juste qui a fait frissonner mon cœur.

— Je t'aime fort Frédou ! Mais laisses-en d'autres t'aimer aussi…

— Ahhhh ! Pff ! Tu ne comprends vraiment pas. Et pourquoi tu as dit tantôt que mes confidences tombaient bien ?

— Je prépare un projet moi aussi, mais c'est juste trop mêlé encore dans ma tête! Je suis dans la brume, mais je pense que je tiens quelque chose de chouette!

— Tu vas m'en reparler? Quand on va se voir? On se parlera de nos deux projets parallèles à des centaines de kilomètres de distance…

Les mêmes belles étoiles n'ont plus quitté nos yeux. Elles avaient retrouvé leur chemin et nous tenaient unies. J'étais bien. Je me sentais liée à Rosalie même en étant loin d'elle. On a jasé quelques minutes de plus et on a fermé la caméra Web. Une fois le contact virtuel éteint, j'ai senti un vide. Sans sourire et les étoiles plus ternes, j'ai fixé pensivement le plafond pendant de longues minutes tout en caressant du bout des doigts mon collier. Peu à peu, j'ai regagné mon état de bien-être de tantôt. Un sourire a retrouvé le chemin de mes lèvres et les étoiles se sont mises à scintiller de nouveau.

Le soleil était presque couché quand j'ai décidé de me lever et de continuer à faire mes colliers. C'est presque thérapeutique pour moi. En enfilant les perles et en agençant les cailloux, je mets de l'ordre dans mes idées. Au fond, selon mes deux conseillères, je dois « Rester qui je suis + M'ouvrir plus + Garder mon cœur mou – Vouloir me protéger en ne laissant personne s'approcher = Être moi ». Méchante équation ! Pire que tout problème de maths !

J'ai enfilé les perles, presque hypnotisée pendant plus de deux heures. Quand je suis sortie de ma bulle, il faisait noir partout sauf sous ma petite lampe. Sous la bordure inférieure de mon rideau, j'ai cru voir une lueur. Une lampe de poche qu'on aurait fait glisser en ma direction ?

J'ai dû rêver. Mes yeux sont tellement fatigués qu'ils voient des choses qui n'existent pas.

J'ai eu un flash génial : un collier ultra spécial pour Rosalie. Et je savais exactement avec quel caillou je le ferais. Sauf que je ne l'avais pas encore trouvé ce caillou. Je ne l'avais que dans ma tête… Mais la rivière en avait des milliers sur ses bords, j'allais bien trouver celui pour Rosie. Je me suis étirée. À rester ainsi courbée, mon dos souffrait. En m'approchant de la fenêtre, je n'ai pas pu résister. J'ai soulevé discrètement un pan des rideaux. Pas une lumière. Rien. Juste le reflet de ma lampe qui miroitait sur la vitre. J'avais rêvé. Je le savais.

Dans mon lit, le calme m'entoure. Le vent de la nuit fraîche m'oblige à me terrer sous une montagne de couvertures, mais j'adore cela. Toutefois, le silence de la campagne, c'est presque effrayant. Je vais l'apprivoiser, mais pas ce soir. Je me lève pour saisir mon iPod. Juste avant de planter mes écouteurs dans mes oreilles, j'entends des bruits dehors. Des cailloux qu'on lance dans l'eau et des cailloux qui s'entrechoquent. Je rêve encore ? Non ! Là, ça ne se peut juste pas. Les bruits sont bien réels. Je les interprète comme un appel. Pourquoi Félix ferait exprès pour faire du bruit sous ma fenêtre ?

La maison dort. Tout est sombre. Je descends l'escalier en essayant de ne pas faire craquer une marche. Je suis en pyjama et j'ai encore mon iPod dans les mains, mais ce n'est pas grave. J'attrape ma veste qui traîne et j'ouvre délicatement la porte. Une pensée me traverse l'esprit : ce n'est peut-être que Sarah... Mais qu'est-ce qu'elle ferait là ? C'est Félix qui est là, voyons !

Dehors, la nuit enveloppe tout et le silence n'est entrecoupé que par le bruissement de l'eau de la rivière. Je ne vois rien pendant au moins quelques minutes le temps que mes yeux s'habituent à la pénombre. J'avance instinctivement vers le bord de la rivière, en me guidant des souvenirs des sons entendus. Dans ma poitrine, mon cœur s'excite.

— Félix ? Félix, t'es là ?

Comme seule réponse, le vent tout autour de moi et la rivière qui chuchote toujours. J'essaie d'utiliser la lumière de mon iPod pour me guider, mais il n'éclaire même pas à un mètre devant moi. J'aurais dû prendre ma petite lampe de poche. Tant pis ! Je ne retourne pas...

Je marche lentement mais sûrement vers ma roche. Félix était là, j'aurais pu le jurer. Mon cœur voudrait que je cours, mais mes pas sont prudents.

— Félix ? C'est moi...

Rien. Je devrais retourner à la maison. Qu'est-ce que je fais là, dehors à cette heure ? Je cherche quoi dans le noir ainsi ? J'attends quoi ? Félix n'est visiblement pas là. Il n'est peut-être même pas venu. J'ai probablement imaginé les bruits tantôt. Je pense que je vais pleurer. Mon cœur ne veut pas se calmer. Je me rends donc jusqu'à ma roche, je m'y assois dans l'espoir de laisser les battements de mon cœur se calmer un peu et suivre le rythme calme de l'eau de la rivière.

J'éclaire la surface de ma roche en balayant mon iPod doucement au-dessus d'elle. Des petites taches de peinture la parsèment. Il y a des petites perles égarées aussi et une ligne floue tracée quand j'avais enligné tous les cailloux choisis et peints. Je souris. Mes cailloux. Mes perles. Mes idées, finalement. Tiens, je vois le bout d'un pinceau un peu plus loin. Il a sûrement roulé silencieusement quand j'étais concentrée sur un caillou et je l'ai oublié. En approchant mon iPod du pinceau, j'ai éclairé un peu plus loin devant moi. C'est là que j'ai vu.

Sur la roche devant la mienne, il y avait un cœur. Disposés avec soin, une quinzaine de minuscules cailloux formaient ce grand cœur de pierre. Moi, je suis devenue toute molle. Au centre du cœur, une enveloppe carrée sur laquelle était déposée une roche plus grosse.

Mon cœur frétillait en moi. C'est sûr qu'il n'était pas en pierre. Il flottait, ultra léger! Je suis restée au moins une minute à fixer cet agencement, puis j'ai pris la lettre avec mes doigts qui tremblotaient. Je l'ai lue à la lueur du iPod dans le noir de la nuit.

« Excuse-moi, Frédérique. Je n'ai pas le droit de briser tes rêves juste parce qu'ils ne sont pas comme les miens. Tu es belle, calme ou survoltée, tu sais ? Je ne serai jamais bien loin si tu veux me reparler… Je t'attendrai ici au milieu du cœur demain matin pour aller à l'école…

Félix »

Tiens, mes oreilles me jouent encore des tours. J'entends deux voix percer la nuit. J'entends Rosalie hurler d'abord « J'avais teeeeellement raison ! » et ensuite je l'entends chuchoter « Ulllllllllllllllllllltra romantique ! Fonce, ma guimauve ! »

Épilogue

Rosie arrivera bientôt. Dans une heure maximum, elle et son grand rire, ses yeux expressifs que je peux lire sans problème et son extravagance légendaire débarqueront dans ma chambre. Mon divan n'attend que nos confidences en temps réel et sans intermédiaire technologique. On s'est parlé tous les deux jours via la caméra Web, mais ce n'est pas comparable à quand on est vraiment réunies. J'ai hâte de la voir.

Et de lui donner mon cadeau. J'ai finalement trouvé LE caillou que je cherchais. Je savais qu'il existait ; le défi était de mettre la main dessus. Je voulais une roche en forme de cœur. Un peu difforme, un peu croche, un peu imparfait, mais un cœur quand même. Un cœur de pierre qui symbolise la transformation de mon cœur grâce aux interventions de Rosalie.

Je l'ai peint en blanc. Blanc plein de promesses. Blanc comme un nouveau départ. Blanc comme la neige qui tombera bientôt.

Je surveille le chemin de ma fenêtre. De ma chambre, je vois encore mieux la rivière et le chemin qu'avant. Les arbres rougissent plus vite ici. Déjà, leurs feuilles sont presque toutes tombées. L'horizon est plus clair. Même que si je m'étire un peu, j'arrive à voir un coin de la maison de Sarah et Félix.

Félix.

Félix. Mon confident spécial. Mon presque amoureux. Mon colocataire de bulle.

J'avais besoin de lui. Plus que je ne l'imaginais. Pour apprivoiser ma nouvelle vie. Pour calmer un peu mon tourbillon sans pour autant éteindre le feu dans mes yeux. Un joyeux mélange.

Il est resté là. Toujours. Fidèle à lui. Si je compare le tout à une danse, on faisait chacun un pas vers l'autre. Je pense qu'il a appris lui aussi à mes côtés. Sarah aussi.

Moi, j'ai eu mal parce que j'ai laissé mes amies. Eux ont souffert, car leurs amis ont déménagé. Chacun de nous trois vit sa peine à sa façon même si Sarah et Félix ont « perdu » leurs amis depuis plus longtemps que moi. Je m'aperçois que nos blessures peuvent parfois prendre du temps à guérir. Mais qu'on peut aussi s'aider à garder notre fil d'amitié bien solide. Je n'en sais pas beaucoup sur Émilie et François — leurs amis perdus. Sarah m'en parle un peu plus, surtout que je l'amène parfois sur mon divan rose avec Rosie. Félix, lui, ne m'en parle que du bout des lèvres, alors je ne l'achale pas trop. J'ai compris que ses silences parlent beaucoup aussi. Je le laisse avancer à son rythme même si j'ai envie parfois d'aller un peu plus vite…

Je suis certaine, Rosie va me dire que c'est de l'amouuuuuuur ! Je le sais. Parce qu'elle a raison. Mais avec Félix, ce n'est rien de précipité ! J'ai compris. J'enfile les perles doucement, une à une, calmement. Et je suis en train de créer le plus beau des bijoux, je crois. Cette simple pensée me comble.

Je caresse du bout des doigts mon cœur de pierre blanc. Blanc pour un clin d'œil spécial, aussi, que seules Rosie et moi comprenons. Ni Sarah ni Félix ne sauront notre secret. Mon cœur est blanc… comme une guimauve !

Les secrets du divan rose

Tu as déjà déménagé dans une autre ville ?
Comment tu t'es sentie ? Quelle pensée ou
petit mot écrirais-tu à Frédérique ? As-tu déjà
aimé un garçon qui ne semblait pas t'aimer
au début ? Toi, le silence t'intimide-t-il ?
Comment serait le collier que tu créerais
pour ta meilleure amie ?

Tu as de nouvelles idées d'aventures pour
Frédérique, Rosalie, Emma et Zoé ?
Partage avec nous tes réflexions à
divanrose@boomerangjeunesse.com.

Suis toutes les
nouvelles de la série
en visitant :
lessecretsdudivanrose.com

Dans la même collection

ISBN 978-2-89595-456-9

ISBN 978-2-89595-457-6

ISBN 978-2-89595-458-3

ISBN 978-2-89595-485-9

ISBN 978-2-89595-524-5

ISBN 978-2-89595-547-4

ISBN 978-2-89595-606-8

ISBN 978-2-89595-564-1

ISBN 978-2-89595-602-0